Kleines Aufsatzbuch

Kleines Aufsatzbuch

HERBERT LEDERER—WERNER NEUSE

Queens College,
New York

Middlebury College,
Vermont

New York

HOLT, RINEHART AND WINSTON, INC.

May, 1964

Library of Congress Card Catalog No. 61–13960.

35189-0111

PRINTED AND BOUND IN THE UNITED STATES OF AMERICA

Foreword

It seems natural, with the new emphasis on the use of the spoken or oral element in language, that teaching and learning how to write the foreign language has received new impetus. Today, language students, often before they graduate, go abroad for study to the country of their major interest, and not only do they hear and use the foreign language constantly, they also wish and often have to write it either in written reports, papers, and other assignments, or use it to take notes in foreign language lectures, talks, meetings, etc.

Teachers commonly discover that students who otherwise have no difficulty in expressing themselves in the foreign idiom, and who read without hesitation, find it hard to put down even simple sentences in writing. The best students frequently make elementary mistakes, become confused in the use of tenses, run out of idioms and generally show a complete lack of understanding of the finer differences in shades of meaning or levels of speech. There are available many up-to-date grammars, graded textbooks, reviews, and readers for almost every course of instruction, but little has been done to provide the instructor of German with a text that allows him to improve the student's ability to write German, once he has covered the elements of grammar and has practiced reading simple texts and somewhat more difficult materials. Indeed, composition books for intermediate or semi-advanced use have been scarce, if not lacking altogether. It is the opinion of the authors that a book designed for this purpose should present its material exclusively in the foreign language and combine a review of grammar with systematic suggestions for composition and word study. Too, constant emphasis on idioms, on the development of a basic vocabulary, and on the correct usage of component parts of German words and verbs, such as prefixes, suffixes, compounds, and the like, are prerequisite for increased facility in writing German.

In this volume the authors have chosen brief German texts for simple and sometimes more complicated retelling. The usual printed questions relating to the passages in German have been omitted, but the instructor can readily make up such questions himself, or have the students develop a technique of asking each other questions and answering them. Prerecorded tapes that are available for use with the book provide questions that can be used with each German text and these will be found helpful for dictation or as the cues for answers, or both, in classroom or laboratory. For the many assignments in composition, and for assignments associated with grammar review and word study, the end vocabulary, which is included in the book, will be found useful. This vocabulary is, however, neither complete nor comprehensive enough to answer all the potential needs of every student. It is the only part of the text in which English translations are given. Ideally, it would be desirable to provide, in addition, or perhaps to the exclusion of the English translation, synonymous expressions and idioms which would facilitate the student's retelling the story and make it easier for him to choose words of proper shade and meaning. But excellent complementary German materials such as the *Sprachbrockhaus* and *Duden Stilwörterbuch* are readily available, and their supplementary use is recommended for maximum effect.

As far as grammar study is concerned, the use of a comprehensive survey, whether it be a full elementary grammar or a review text, is recommended. In using this book, the student is by implication urged to review the whole complex of a grammatical problem whenever a smaller part is treated.

Flexibility is, we hope, one of the prime assets of this work. The instructor who is using it may pick his own exercises for composition, grammar review, and word study, as he sees fit. He may limit the number of idioms to that which he deems sufficient, or he may expand the study by adding free composition assignments of his own selection. The book may be used as the basic pivotal text in the course, or as a complement to other materials. Taped exercises of the instructor's own choosing can be readily devised and prepared.

The authors wish to acknowledge their indebtedness to the Ohio University Research Committee for assistance in the preparation of the manuscript. We also want to express our appreciation to our colleagues, Professors Willy Bloch, Tekla Hammer, Edmund Hecht, Werner Hoffmeister, Kathryn Johnson, and Edith Runge, who used this text in their classrooms in a mimeographed version and offered valuable criticism and suggestions. Finally, we are grateful to Miss Peggy Meecham and Mr. Richard McDaniel for their help in typing the manuscript and assembling the vocabulary.

HERBERT LEDERER WERNER NEUSE

Inhaltsverzeichnis

SEITE

AUFGABE EINS: *Johannes Brahms* 1
Grammatik: **Werden** und **sein** im Passiv . . . Gebrauch des Artikels bei Berufen . . . Demonstrativpronomen . . . Substantive aus Partizipien . . . Vorsilbe **er-**.
Wortschatz: Familie . . . Nationalität . . . Beruf . . . Ort und Zeit.

AUFGABE ZWEI: *Mann und Frau* 6
Grammatik: Absoluter Komparativ und Superlativ . . . **Setzen, stellen** und **legen** . . . Vorwegnehmende **da**-Konstruktion . . . Konditional ohne **wenn** oder **ob** . . . **her** und **hin** . . . **indem.**
Wortschatz: Farben.

AUFGABE DREI: *Besuch beim Arzt* 11
Grammatik: Infinitiv mit und ohne **zu** . . . Reflexive Verben . . . Vorsilbe **be-** . . . Vergleichsformen.
Wortschatz: Doppelausdrücke . . . Reim . . . Stabreim . . . Andere Paare.

AUFGABE VIER: *Liebesbriefe* 16
Grammatik: Feminine Zusammensetzungen mit **-s** . . . Perfektum und Imperfektum . . . Füllwörter . . . Verkürzte Demonstrativpronomen . . . Zusammengesetzte Substantive.
Wortschatz: Zusammengesetzte Adjektive . . . Verstärkung . . . Verneinung.

AUFGABE FÜNF: *Der ungebildete Soldat* 20
Grammatik: Trennbare und untrennbare Vorsilben . . . Präposition **bei** . . . Erweiterung des Prädikats mit **zu** . . . Adjektive mit Genitiv.
Wortschatz: Synonyme für **sagen.**

AUFGABE SECHS: *Die seltenen Eier* 25
Grammatik: Vorsilbe **ver-** . . . **lassen** . . . Konjunktiv der indirekten Rede.
Wortschatz: Homonyme.

AUFGABE SIEBEN: *Der kluge Junge* 29
Grammatik: Postpositionen . . . Vorsilbe **Ge-** . . . Maßeinheiten . . . Konjunktiv der irrealen Bedingung.
Wortschatz: Synonyme für **machen.**

SEITE

AUFGABE ACHT: *Das treffende Wort* 33
Grammatik: Gebrauch von **durch** und **von** im Passiv . . . Unpersönliche Verben . . . Doppelakkusativ . . . Vorsilbe **ent-**.
Wortschatz: Verstärkung durch Vergleich.

AUFGABE NEUN: *Ein guter Ausweg* 37
Grammatik: Konstruktion mit **um zu, ohne zu, (an)statt zu** . . . **sein** mit abhängigem Infinitiv . . . Adjektiv mit Dativ . . . Verben mit Dativ . . . Verben mit Genitiv.
Wortschatz: Negative Vorsilben . . . Nachsilben **-heit, -keit, -igkeit.**

AUFGABE ZEHN: *Der beliebte Filmstar* 41
Grammatik: Nominativ des Prädikats . . . Absoluter Akkusativ . . . Partizipialkonstruktion.
Wortschatz: Nachsilben **-ig, -lich, -bar, -sam.**

AUFGABE ELF: *Till Eulenspiegel* 44
Präpositionen I: Ausdrücke der Zeit mit Präposition . . . Ausdrücke des Ortes mit Präposition . . . Ausdrücke der Art und Weise mit Präposition . . . Substantiv mit Präposition.

AUFGABE ZWÖLF: *Das Programm* 47
Präpositionen II: **an, auf, aus, bei, für, in** mit Verben.

AUFGABE DREIZEHN: *Befehl ist Befehl* 50
Präpositionen III: **mit, nach, über, um, von, vor** mit Verben.

AUFGABE VIERZEHN: *Der Zwanzigmarkschein* 53
Redewendungen aus dem Tierreich.

AUFGABE FÜNFZEHN: *Die drei Wünsche des Hanswursts* . . 57
Oft verwechselte Substantive.

AUFGABE SECHZEHN: *Der brave Soldat Schwejk* 61
Oft verwechselte Adjektive.

AUFGABE SIEBZEHN: *Zu viele Kinder* 65
Oft verwechselte Verben.

AUFGABE ACHTZEHN: *Der Reisekaiser* 69
Kausative Verben.

AUFGABE NEUNZEHN: *Der Handlanger* 72
Redewendungen mit Körperteilen I: Auge, Bein, Finger, Fuß, Haar, Hals, Hand.

SEITE

AUFGABE ZWANZIG: *Das Preisausschreiben* 75
Redewendungen mit Körperteilen II: Haut, Herz, Kopf, Mund (Maul), Nase, Ohr.

GRAMMATISCHE SYNOPSIS 79

WÖRTERVERZEICHNIS i

GRAMMATISCHER INDEX liii

Kleines Aufsatzbuch

Johannes Brahms*

1 Johannes Brahms wurde am 7. Mai 1833 in Hamburg als
2 Sohn eines Orchestermusikers geboren. Schon früh zeigte er
3 eine große musikalische Begabung und konnte mit vierzehn
4 Jahren als Konzertpianist auftreten. Nachdem seine Ausbildung
5 beendet war, machte er größere Reisen als Begleiter eines
6 Violinkünstlers. Auf einer dieser Reisen wurde er mit dem
7 Geigenkünstler Joseph Joachim bekannt. Dieser empfahl ihn
8 einem Bekannten, dem berühmten Komponisten Robert Schu-
9 mann (1810-1856), der von den Kompositionen des jungen
10 Pianisten so begeistert war, daß er schrieb: „Das ist der, der
11 kommen mußte."

12 Brahms wurde nun schnell bekannt. Nachdem er in einigen
13 Städten Musikdirektor gewesen war, ging er 1862 nach Wien.
14 Hier war er einige Jahre Chormeister; dann lebte er als Kom-
15 ponist und gab nur dann und wann ein Konzert oder dirigierte
16 eines seiner Werke. Da Brahms nicht nur ein großer Künstler,
17 sondern auch ein herzensguter Mensch war, hatte er in Wien
18 viele Freunde, so daß ihm die Stadt zur zweiten Heimat wurde.
19 Dort ist er im Jahre 1897 gestorben. Sein Grab befindet sich
20 in der Nähe der Gräber Beethovens (1770-1827) und Schuberts
21 (1797-1828).

22 Brahms erstrebte in seiner Musik den klaren Formbau der
23 Klassiker (Bach, Händel, Mozart, Haydn, Beethoven). Be-
24 sonders zu bewundern ist die Vielseitigkeit seines Schaffens.
25 Unter seinen Chorwerken steht „Ein deutsches Requiem" an
26 erster Stelle. Berühmt sind auch seine vielen Lieder. Sein
27 Bestes aber hat er in seinen Instrumentalkompositionen gegeben:
28 vier Sinfonien, anderen Orchesterwerken, Kammermusik und
29 Klavierstücken.

*By permission of *Monatspost*, Rochester, N. Y.

GRAMMATISCHE ERKLÄRUNG UND ÜBUNGEN

BEISPIEL	ERKLÄRUNG
A. Zeile 1-2:	
Brahms wurde am 7. Mai 1833 geboren.	Historische Form: Imperfektum des Verbums „werden".
Aber:	
Ich bin am 9. Juni geboren.	Lebende Menschen: Präsens des Verbums „sein".

Wann sind Sie geboren? Wann wurde Goethe geboren? (1749)

B. Zeile 4:	
als Konzertpianist	Beruf, Religion und Nationalität im Prädikat ohne unbestimmten Artikel, außer vor beschreibendem Adjektiv.
Aber Zeile 16:	
Brahms war ein großer Künstler.	

Geben Sie ähnliche Beispiele.

C. Zeile 4–5:	
Seine Ausbildung war beendet.	Zustand mit Hilfszeitwort „sein".
Aber:	
Das Lied wurde von ihm gesungen.	Handlung mit Hilfszeitwort„ werden".

Erklären Sie den Unterschied zwischen folgenden Satzpaaren:

1. Der Brief ist handgeschrieben—Der Brief wurde von ihm geschrieben.
2. Die Tür war geschlossen—Die Tür wurde geschlossen.
3. Die Arbeit ist getan—Die Arbeit wird getan.

Geben Sie ähnliche Beispiele.

D. Zeile 6–7:	
Er wurde mit Joachim bekannt. Dieser empfahl ihn . . .	**Er, ihm, ihn, sein** usw. beziehen sich auf das Subjekt des vorigen Satzes. **Dieser, dessen** usw. beziehen sich auf das letztgenannte Substantiv.

Unterscheiden Sie zwischen folgenden Sätzen:

1. Hans sah Karl und seinen Freund.
2. Hans sah Karl und dessen Freund.

E. Zeile 8:

einem Bekannten — Ein Substantiv, das aus dem Partizipium eines Verbums abgeleitet ist, hat Adjektivflexion.

Aber:

der Bekannte

Ergänzen Sie die folgenden Sätze:

1. Herr Meyer ist ein guter Bekannt— von mir.
2. Gestern trafen wir am Strand viele Bekannt—.

Verwenden Sie die folgenden Wörter in je einem Satz:

1. der Angeklagte 2. der Angestellte 3. der Beamte 4. der Erwachsene 5. der Gelehrte 6. der Gesandte 7. der Reisende 8. der Verlobte 9. der Verwandte.

F. Zeile 22:

Brahms erstrebte den klaren Formbau.
Synonym:
Brahms strebte **nach** klarem Formbau.

Die Vorsilbe **„er-"** zeigt Ziel oder Absicht einer Handlung und kann verschiedene Präpositionen ersetzen.

Ersetzen Sie die Vorsilbe „er" in den folgenden Redewendungen durch eine der rechts stehenden Präpositionen:

den Sieg erkämpfen einen Berg ersteigen sein Brot erbetteln den Baum erklettern Auskunft erbitten	auf für nach um

Verwenden Sie die folgenden Wortpaare in Sätzen, die den Unterschied zwischen den Verben zeigen:

reichen — erreichen	schießen — erschießen
füllen — erfüllen	trinken — ertrinken
langen — erlangen	raten — erraten

WORTSCHATZÜBUNGEN

A. Familienverhältnisse.

Definieren Sie jeden der folgenden Verwandten in einem Satz (*z.B.: Mein Onkel ist der Bruder meines Vaters. Mein Großvater ist der Vater meiner Mutter.*):

1. die Tante
2. die Großeltern
3. der Enkel
4. die Urenkel
5. der Neffe
6. die Nichte
7. der Vetter
8. die Kusine
9. die Schwiegereltern
10. der Schwager, die Schwägerin
11. das Stiefkind
12. die Stiefeltern
13. die Geschwister
14. die Ahnen (Vorfahren)
15. die Nachkommen

B. Nationalität.

1. Wie heißen die Einwohner von: Wien, Berlin, Paris, München, Münster, Hannover, Bremen?

2. Wie heißen die Einwohner von: Deutschland, Frankreich, England, Italien, der Schweiz, der Tschechoslowakei, der Türkei, Spanien, Griechenland, Dänemark, Norwegen, Schweden, Irland, Portugal, Ungarn, Rußland, Polen, Rumänien, China, Japan, Indien, Israel?

3. Wie heißen die Einwohner von: Europa, Amerika, Asien, Afrika, Australien?

C. Berufe.

1. Wer macht oder verarbeitet Schuhe, Brot, Kleider, Bier, Leder, Pelz, Glas, Möbel?

2. Wer hütet Tiere, verkauft Fleisch, bringt Post, bedient Gäste im Wirtshaus, kontrolliert Fahrkarten, schreibt Bücher, vertritt Angeklagte vor Gericht, fällt das Urteil, heilt Kranke, macht wissenschaftliche Forschungen, unterrichtet in der Schule, verkauft Waren, bearbeitet das Land, arbeitet für den Staat?

D. Zeit und Ort.

In Zeile 15 kommt das Wortpaar „dann und wann" vor. Welche von den folgenden Ausdrücken sind mit „dann und wann" synonym und beziehen sich auf Zeit, welche auf Ort?

hie und da — hier und dort
hin und her — hin und wieder
auf und ab — ab und zu

AUFSATZÜBUNG

A. Schreiben Sie nach dem Vorbild dieser Aufgabe eine kurze Biographie eines berühmten Mannes.

B. Schreiben Sie Ihren eigenen Lebenslauf. Verwenden Sie einige der folgenden Ausdrücke und Redewendungen:

das Abschlußexamen ablegen	die Schule besuchen
die Freizeit	zur Schule gehen
das Gebiet, der Gegenstand	das Steckenpferd
das Hauptfach	auf eine Universität gehen
die Lieblingsbeschäftigung	Vorlesungen belegen
das Nebenfach	Zukunftspläne

Mann und Frau

1 Eine ältere Frau kam in den Wartesaal eines Bahnhofes und
2 setzte sich neben einen Arbeiter, der eine Pfeife rauchte. Als
3 sie sah, daß der Arbeiter nicht daran dachte, seine Pfeife weg-
4 zulegen, begann sie laut zu husten. Der Mann tat, als hätte er
5 nichts gehört, und rauchte ruhig weiter. Da sagte sie: „Wenn
6 Sie wüßten, was sich schickt, so würden Sie in Gegenwart einer
7 Dame nicht rauchen."
8 „Nun", erwiderte der Mann, „wenn es Ihnen nicht gefällt,
9 so können Sie sich irgendwo anders hinsetzen." Die Frau sah ihn
10 böse an und rief ganz empört: „So eine Unverschämtheit habe
11 ich noch nie gehört! Wären Sie mein Mann, so würde ich Sie
12 sofort vergiften."
13 „Gewiß", sagte der Mann, indem er seine Pfeife gemütlich
14 weiterrauchte, „und wären Sie meine Frau, so würde ich das
15 Gift auch nehmen."

GRAMMATISCHE ERKLÄRUNGEN UND ÜBUNGEN

BEISPIEL	ERKLÄRUNG
A. Zeile 1:	
eine ältere Frau	Absoluter Komparativ — kein wirklicher Vergleich.
Ähnlich:	
höchst interessant	Absoluter Superlativ.

Verwenden Sie die Ausdrücke „eine längere Reise", „die höhere Schule", „eine größere Summe Geld", „ein höherer Beamter", „die nähere Umgebung", „öfter", „äußerst wichtig", „tiefst betrübt", „höchste Zeit", „eiligst", „schleunigst", „längst" in Sätzen und erklären Sie ihre Bedeutung.

B. Zeile 2:

Sie setzte sich neben einen Arbeiter.
Aber:
Er sitzt neben mir.

Nach „setzen", „legen" und „stellen" gebraucht man den Akkusativ, nach „sitzen", „liegen" und „stehen" den Dativ.

Geben Sie je ein Beispiel mit den Verben **(sich) setzen, (sich) legen, (sich) stellen** und **sitzen, liegen, stehen,** in Verbindung mit einer Präposition, die entweder den Dativ oder den Akkusativ regiert.

Zeigen Sie in Sätzen den Unterschied zwischen **setzen, stellen, legen** und **stecken.**

Ergänzen Sie die folgenden Sätze durch eine Form der Komposita der Verben **setzen, stellen** oder **legen:**

1. Er . . . den Mantel ab.
   Er . . . den Motor ab.
   Der König . . . den Minister ab.
2. Ich . . . den Hut auf.
   Ich . . . eine Behauptung auf.
3. Der Richter wurde ins Amt ein . . . .
   Der Arbeiter wird in den Betrieb ein . . . .
4. Er hat sich auf seine Meinung fest . . . .
   Er konnte sich in diesem Land nicht fest . . . .
   Diese Tatsache wurde sehr bald fest . . . .

Unterscheiden Sie zwischen den Ausdrücken „einen Platz besetzen" und „einen Platz belegen."

C. Zeile 3–4:

Der Arbeiter dachte nicht daran, seine Pfeife wegzulegen.

Vorwegnahme des Nebensatzes oder Infinitivs durch „da-" und Präposition.

Gebrauchen Sie die folgenden Verben mit „da-"Verbindungen und Nebensätzen oder Infinitivkonstruktionen:

(*Beispiel:* sich freuen auf — **Ich freue mich schon darauf, dich zu sehen.**
warten auf — **Er wartet darauf, daß ich ihm helfe.**)

1. abhängen von	6. sich gewöhnen an
2. ankommen auf	7. träumen von
3. bestehen auf	8. sich wundern über
4. denken an	9. zufrieden sein mit
5. folgen aus	10. zwingen zu

D. Zeile 4–5:

Der Mann tat, als hätte er nichts gehört. — Verbum am Anfang des Nebensatzes ersetzt die Konjunktion „wenn" oder „ob".

Zeile 11:

Wären Sie mein Mann, . . .

Lassen Sie in folgenden Sätzen das Wort „wenn" oder „ob" aus und ändern Sie die Stellung des Verbums:

1. Wenn ich nur wieder jung wäre!
2. Wenn man das Experiment fortsetzt, kommt man zu einem interessanten Resultat.
3. Es sieht aus, als ob es heute regnen würde.
4. Wenn es auch möglich wäre, so würde ich es doch nicht tun.
5. Sie gibt Geld aus, als ob ihr Mann sehr reich wäre.

E. Zeile 9:

hinsetzen
Aber:
Wo kommen Sie her?

„Hin" und „her" sind Richtungsanzeiger
Her: zum Standpunkt der Handlung
Hin: vom Standpunkt der Handlung weg

Ergänzen Sie die folgenden Sätze mit „hin" oder „her":

1. Er ging aus dem Zimmer . . . aus.
2. Er kam aus dem Zimmer . . . aus.
3. Er schloß die Tür und lief die Treppe . . . unter.
4. Er grüßte mich von der Straße . . . .
5. Was bringt dich hier . . . ?
6. Wie fährt man am besten dort . . . ?
7. Das ist schon lange . . . .
8. Wo denken Sie . . . ?

(7.–8.: Übertragene Bedeutung)

F. Zeile 13:

indem

„Indem" zeigt näheren Zusammenhang als „während": entweder genaue Gleichzeitigkeit oder kausative Verbindung (dadurch, daß . . .).

Beispiele:

Der Lehrer erklärte die Aufgabe, indem er sie an die Tafel schrieb.

Indem er sich bückte, entfiel ihm seine Brieftasche.

Er zeigte sich als wahrer Freund, indem er mich unterstützte.

Aber:

Er blieb zu Hause, während es regnete.

Geben Sie weitere Beispiele für den Gebrauch von „indem."

WORTSCHATZÜBUNGEN

Kombination von Farbadjektiven mit Substantiven

Man kann Adjektive, die Farben bezeichnen, verdeutlichen, indem man sie mit einem andern Adjektiv zusammensetzt, z.B. **hellrot, dunkelblau, mattgrün.** Man kann solche Farbadjektive auch mit Substantiven kombinieren, z.B. **himmelblau, blutrot** usw.

1. Verbinden Sie je eins der folgenden Farbadjektive mit je einem passenden Substantiv in Klammern und verwenden Sie die Zusammensetzung in einem einfachen Satz:

weiß — schwarz — rot — blau — grün — gelb — grau — braun (die Asche, das Feld, das Feuer, das Gift, das Gold, das Gras, der Kaffee, die Kastanie, die Kohle, der Krebs, die Kreide, das Pech, der Purpur, der Rabe, der Scharlach, der Schnee, der Stahl, der Stein, das Veilchen, der Wein, die Zitrone).

2. Verwenden Sie Farbausdrücke in übertragener Bedeutung und umschreiben Sie jede Redewendung durch eine synonyme Erklärung:

(*Beispiele:* **der schwarze Markt — der Handel mit verbotenen Waren; eine Fahrt ins Blaue — ein Ausflug mit unbestimmtem Ziel**).

AUFSATZÜBUNG

1. Erzählen Sie die Geschichte „Mann und Frau" so wieder, wie sie (A) der Arbeiter, (B) die Dame einem oder einer Bekannten berichten würde.

2. Erweitern Sie die Geschichte auf folgende Art: Die Frau setzt sich an einen anderen Tisch, an dem ein Mann laut schmatzt, oder an einen, wo die Kinder viel Lärm machen, und sie beschwert sich jedesmal.

Verwenden Sie dabei einige der folgenden Ausdrücke und Redewendungen:

die Absicht haben
sich ärgern
der Aschenbecher
sich benehmen
sich beschweren, sich beklagen über
eintreten
das Feuerzeug
die Flegelei, die Frechheit, die Keckheit
sich gehören, sich schicken
die Holzbank
paffen
passen (es paßt mir, ist mir recht)
die Pfeife ausklopfen
sich die Pfeife stopfen
an der Pfeife saugen
Platz nehmen
schlechte Manieren haben
sich stören lassen
das Streichholz, Zündholz
sich eine Zigarre anstecken
zornig, wütend

AUFGABE 3 DREI

Besuch beim Arzt

1 Ein berühmter Herzspezialist pflegte für einen ersten Besuch
2 100 Mark zu rechnen, für jeden weiteren aber nur 50 Mark.
3 Ein Kranker wollte nicht mehr als 50 Mark bezahlen und
4 kam daher auf den klugen Gedanken, mit dem zweiten Besuch
5 zu beginnen. Eines schönen Tages kam er zu dem Arzt und
6 sagte: „Guten Morgen, Herr Doktor, hier bin ich wieder."
7 Der Arzt zeigte seine Überraschung nicht, sondern bat den
8 Mann sich auszuziehen und fing an, ihn sorgfältig zu unter-
9 suchen. Er machte ein bedenkliches Gesicht, runzelte die Stirn,
10 räusperte sich und setzte die Untersuchung fort, während der
11 Patient immer ungeduldiger wurde. Endlich forderte der Arzt
12 ihn auf, sich wieder anzukleiden und sagte ihm, daß sich sein
13 Zustand zwar nicht sehr gebessert habe, daß er ihm aber keine
14 neue Medizin verschreiben wolle. Statt dessen schlug er vor,
15 der Kranke solle dieselbe Behandlung fortsetzen, die er ihm das
16 letzte Mal empfohlen habe.

GRAMMATISCHE ERKLÄRUNGEN UND ÜBUNGEN

BEISPIEL	ERKLÄRUNG
A. Zeile 1–2:	
Er pflegte 100 Mark zu berechnen.	Abhängiger Infinitiv mit „zu".
Zeile 15:	
Der Kranke solle die Behandlung fortsetzen.	Im Futurum, bei Modalverben und bei den Verben **fühlen, helfen, hören, lassen, lehren, lernen** und **sehen** wird der Infinitiv ohne „zu" gebraucht.
Auch:	
Wir haben den Arzt kommen lassen. Ich habe ihn kommen gehört (*oder auch:* hören).	Alle Modalverben, **lassen** und meist auch **hören** und **sehen** gebrauchen in den Perfektformen den sogenannten ‚Doppelten Infinitiv'.

Setzen Sie die Verben in Klammern in der passenden Form in jeden Satz ein:

1. Er kam, weil er mich (sehen, wünschen).
2. Der Gast sagte, daß er ein Glas Wasser (wollen, trinken).
3. Es war unmöglich, die Arbeit früher (anfangen).
4. Er hat mir die Aufgabe (erklären, versuchen).
5. Hast du ihn (hören, weggehen)?
6. Er hat sich einen neuen Anzug (lassen, machen).
7. Sie werden sich damit (müssen, begnügen).
8. Es ist schwer, um 6 Uhr (müssen, aufstehen).
9. Könntest du mir diesen Satz (helfen, übersetzen)?
10. Mein Vater ... mich (schwimmen, lehren).
11. Der Arzt konnte den Puls kaum (schlagen, fühlen).
12. Wo haben Sie so schön (lernen, singen)?

Infinitiv ohne „zu" findet sich auch häufig in Verbindung mit dem Verbum **gehen,** z.B. **essen gehen, baden gehen, schlafen gehen.** In vielen Fällen wird der Infinitiv als trennbare Vorsilbe behandelt und mit dem Hauptverbum verbunden: **spazierengehen, spazierenfahren** usw. Alle Infinitivkomposita von **bleiben** sind von dieser Art: **sitzenbleiben, steckenbleiben, stehenbleiben** usw. Bilden Sie wenigstens einen Satz zu jedem der genannten Verben.

B. Zeile 7–8:

Er bat ihn sich auszuziehen. Reflexivpronomen im Akkusativ.

Aber:

Er zog sich den Mantel aus. Reflexivpronomen im Dativ.

Verwenden Sie jedes der folgenden Verben in einem Satz in der ersten oder zweiten Person Einzahl:

1. sich denken
2. sich erinnern
3. sich fürchten
4. sich gewöhnen
5. sich helfen
6. sich im klaren sein
7. sich leisten
8. sich schämen
9. sich Sorgen machen
10. sich überlegen
11. sich vorstellen (Dativ oder Akkusativ, zwei Bedeutungen)
12. sich weh tun

C. Zeile 3:

bezahlen

Ähnlich:

etwas begrenzen, etwas befestigen

Die Vorsilbe „be-" macht ein transitives Verbum aus einem intransitiven Verbum, einem Adjektiv oder einem Substantiv.

Ersetzen Sie die Vorsilbe „be-" in den folgenden Redewendungen durch eine der rechts stehenden Präpositionen oder durch eine Dativkonstruktion: (*Beispiele:* einen Berg besteigen — **auf einen Berg steigen;** einen Rat befolgen — **einem Rat folgen**)

eine Frage beantworten jemanden bedienen etwas bekämpfen ein Land bereisen etwas besprechen etwas bezweifeln	an auf durch gegen über

Verwenden Sie die folgenden Wortpaare in Sätzen mit direkten Objekten, die den Unterschied in der Bedeutung zeigen:

bauen — bebauen   sich merken — bemerken
lehren — belehren   nehmen — sich benehmen
schreiben — beschreiben

Ausnahme: Verwenden Sie das Verb „begegnen" in einem Satz.

D. Zeile 3:

nicht mehr als 50 Mark.

Auch:

Ich liebe keine andere als dich.

Oder:

Er ist älter als ich.

Nach dem Komparativ und nach „anders" (und Formen von „anders") gebraucht man als Vergleichwort „als".

Aber:

Er ist so alt wie ich.
Er kam so bald wie möglich.

Im Positiv nach „so" gebraucht man das Wort „wie".

Ähnlich:

Sobald ich ankam, . . .
Soviel ich weiß, . . .
Solange er hier ist, . . .
Sooft es regnet, . . .

Als Konjunktion gebraucht man „sobald", „soviel" usw., aber weder „wie" noch „als".

Schreiben Sie je vier Vergleiche mit „wie" und „als" und je einen Satz mit „sobald", „solange", „sooft", „sosehr", „soviel", „soweit".

„Mehr" mit dem Positiv, gefolgt von „als" mit einem andern Adjektiv, wird gebraucht, um zwei Seiten (Eigenschaften) derselben Person oder Sache zu bezeichnen oder zu vergleichen:

Das Bild ist mehr interessant als schön.
Er war mehr tot als lebendig.

Geben Sie ähnliche Beispiele.

WORTSCHATZÜBUNGEN

Die deutsche Sprache ist reich an Doppelausdrücken, die als stehende Redewendungen gebraucht werden. Vervollständigen Sie die folgenden Paare and verwenden Sie sie in Sätzen, die ihre Bedeutung zeigen:

A. Reimpaare.

1. mit Ach und...
2. unter Dach und...
3. dann und...
4. außer Rand und...
5. in Hülle und...
6. mit Sack und...
7. sang- und ... los
8. in Saus und...
9. schlecht und...
10. auf Schritt und...

B. Stabreimpaare.

1. in Bausch und ...
2. durch dick und ...
3. drunter und ...
4. frank und ...
5. gang und ...
6. ganz und ...
7. Haus und ...
8. mit Haut und ...
9. hoch und ...
10. mit Kind und ...
11. klipp und ...
12. nie und ...
13. über Stock und ...
14. Tod und ...
15. Tür und ...

C. Andere Wortpaare.

1. über Berg und ...
2. kreuz und ...
3. kurz und ...
4. lang und ...
5. auf Leben und ...
6. durch Mark und ...
7. recht und ...
8. hinter Schloß und ...

AUFSATZÜBUNG

1. Beschreiben Sie den Besuch beim Arzt in Form eines Zwiegesprächs zwischen Doktor und Patient, wobei der Kranke am Ende seinen Betrug zugibt.

2. Gebrauchen Sie einige der folgenden Ausdrücke und Redewendungen:

jemanden abklopfen	eine Lehre erteilen
Angst haben	messen
ängstlich sein	„Der nächste, bitte!"
eine belegte Zunge	jemandem den Puls fühlen
besorgt	ein Rezept
Was fehlt Ihnen?	die Salbe
geizig	Schmerzen haben
Geld sparen	das Sprechzimmer
ein Geständnis ablegen	tief atmen
Herzklopfen	die Tropfen
das Honorar	das Wartezimmer
husten	weh tun

AUFGABE **4** VIER

Liebesbriefe

1 „Mutter, ich habe Postbote gespielt", sagte der kleine
2 Junge, als er ganz müde und erhitzt nach Hause kam.
3 „So? Das ist aber nett", antwortete die Mutter. „Wo hast
4 du denn Briefträger gespielt?"
5 „Hier in unserer Straße; ich habe in jedem Haus Briefe
6 abgegeben."
7 „Was für Briefe hast du denn abgegeben?"
8 „Wirkliche Briefe, Mutti!"
9 „Ach, du lieber Junge! Aber sag' mal, woher hast du nur
10 die Briefe genommen?"
11 „O, aus deiner Schreibtischschublade. Aber ich habe nur
12 die ganz alten genommen, die mit dem rosa Band."

GRAMMATISCHE ERKLÄRUNGEN UND ÜBUNGEN

BEISPIEL	ERKLÄRUNG
Titel: Liebesbriefe.	In Zusammensetzungen (Wortverbindungen), bei denen der erste Teil ein Femininum ist, wird oft ein ‚s' eingeschoben, wie es sich bei Genitiven der Maskulina und Neutra im Singular findet.

Verwenden Sie folgende Wörter in Sätzen:

das Arbeitszimmer, der Geburtstag, die Hochzeitsfeier, das Liebeslied, rücksichtslos, sehnsuchtsvoll, die Vergnügungsreise, der Weihnachtsbaum, der Zeitungsstand.

B. Zeile 1:

Ich habe Postbote gespielt.	Perfektum als Form der Vergangenheit in der Umgangssprache.
Aber Zeile 2:	
. . . als er nach Hause kam.	Imperfektum als literarische und erzählende Form.

Bilden Sie je fünf Sätze im Perfektum und Imperfektum, die den Unterschied zeigen.

C. Zeile 3:

Das ist aber nett.

Zeile 7:

Was für Briefe hast du denn abgegeben?

Zeile 9–10:

Aber sag' mal, woher hast du nur die Briefe genommen?

Aber, denn, doch, ja, mal, nur und **schon** werden in der Umgangssprache oft als „Füllwörter" gebraucht.

Suchen Sie aus Ihrer Lektüre andere Beispiele für den Gebrauch von Füllwörtern.

D. Zeile 11:

Schreibtischschublade

Ebenso Zeile 4:

Briefträger

Aber:

Umgangssprache, Jahreszeit

Zusammensetzungen sind ohne Zwischensilbe oder mit verbindendem **e, en, er, es** oder **s** möglich.

Bilden Sie zusammengesetzte Wörter, indem Sie das Wort in Klammern vor die nachfolgenden Wörter setzen, und erklären Sie die Zusammensetzungen, indem Sie sie möglichst durch einen Nebensatz umschreiben.

(der Tag) das Buch, das Werk, die Zeit
(das Land) der Mann, das Haus, der Knecht, die Farben
(das Schiff) der Bruch, der Junge, die Fahrt
(das Rind) das Vieh, das Fleisch, das Leder, die Herde
(das Ohr) der Ring, die Schmerzen
(der Rat) das Haus, die Herren

E. Zeile 12:

die mit dem rosa Band

Siehe auch Aufgabe eins, Zeile 10:

Das ist der, der kommen mußte.

Verkürztes Demonstrativpronomen, mit Relativpronomen identisch. (Im Nominativ, Akkusativ und Dativ Singular Form des Artikels.)

Setzen Sie verkürzte Demonstrativpronomen in die folgenden Sätze ein:

1. Sehen Sie diese Jungen? Mit ... möchte ich nichts zu tun haben.
2. Hier sind drei Bücher. Wenn Sie ... gelesen haben, kommen Sie wieder!
3. Es war einmal ein König, ... hatte eine schöne Tochter.
4. Von all meinen Freunden habe ich ... am liebsten, dem ich am meisten helfen kann.
5. Herr Müller ist sehr geizig. Von ... werden Sie nichts bekommen!
6. Friedrich der Große lud Bach und ... Frau nach Potsdam ein.
7. Wir gedenken ..., die im Krieg fielen.
8. Marie ging mit Anna zu ... (Annas) Eltern.

(Siehe auch Aufgabe Eins, Grammatische Erklärung., D.)

WORTSCHATZÜBUNGEN

Zusammengesetzte Adjektive.

1. Durch Zusammensetzung kann man ein Adjektiv oft verstärken, z.B. **himmelhoch, zuckersüß, kinderleicht.** Verstärken Sie jedes der folgenden Adjektive durch ein vorhergehendes Substantiv aus der untenstehenden Liste und bilden Sie Sätze damit:

ADJEKTIVE

alt, arm, billig, dumm, fest, genau, gerade, hart, hell, jung, müde, naß, reich, schade, schnell, schön, schwer, teuer, traurig.

SUBSTANTIVE

der Bettler, das Bild, das Blei, der Blitz, das Blut, der Felsen, das Haar, der Jammer, die Kerze, der Pfeil, der Pudel, der Spott, der Stein, das Stroh, die Sünde, der Tag, der Tod.

2. Bei manchen Adjektiven gibt es auch Doppelzusammensetzungen, die als Verstärkung dienen. Bilden Sie Sätze mit den folgenden Wörtern:

fuchsteufelswild, funkelnagelneu, kohlrabenschwarz, mucksmäuschenstill, mutterseelenallein, sperrangelweit, splitterfasernackt, sternhagelbetrunken.

3. Umkehrung ins Gegenteil durch Zusammensetzung: Verneinung ist entweder durch die Nachsilbe „-los" oder die Vorsilbe

„un-" möglich. Oft aber wird dabei der Stamm etwas verändert, z.B. schuldlos — **unschuldig;** waffenlos — **unbewaffnet;** nutzlos — **unnütz;** rettungslos — **unrettbar.** Ersetzen Sie in den folgenden Adjektiven die Nachsilbe „-los" durch die Vorsilbe „un-" und verwenden Sie sie in Sätzen:

achtlos, bewußtlos, erbarmungslos, gefahrlos, grenzenlos, regellos, ruhmlos, sinnlos, sorglos, straflos, treulos, wolkenlos, zahllos, zusammenhanglos, zweifellos.

AUFSATZÜBUNG

A. Erfinden Sie einen Liebesbrief, den der Junge an einen Nachbarn verteilt hat.

B. Die Mutter schreibt einen Brief, in dem sie einer Freundin von dem „Spiel" ihres Jungen berichtet.

C. Die Mutter erzählt dem Vater am Abend, was während des Tages geschehen ist.

Gebrauchen Sie einige der folgenden Ausdrücke und Redewendungen:

jemanden anbeten
etwas anstellen
einen Brief einwerfen
der Briefkasten
ins Gerede kommen
Liebe auf den ersten Blick
mein Liebling!
peinlich: mir ist etwas peinlich
der Schatz
sich sehnen (nach)
einen Streich spielen
verlegen sein
in Verlegenheit bringen
verliebt sein, sich verlieben

AUFGABE **5** FÜNF

Der ungebildete Soldat

1 Der berühmte Schauspieler Heinrich George trat einmal in
2 einem Theaterstück als Kaiser Napoleon auf. Ein anderer
3 Schauspieler, der die Rolle Marschall Berthiers spielte, hatte
4 Napoleon eine Proklamation zu überreichen, die dieser dann mit
5 viel Pathos deklamierte. Aber George war faul: Er lernte die
6 Proklamation nicht auswendig, sondern las sie immer vom Blatt
7 ab. Bei der sechsten Vorstellung begann er wieder zu dekla-
8 mieren: „Offiziere und Soldaten!" Da bemerkte er, daß
9 Berthier ihm ein weißes Blatt gegeben hatte, um ihn in Ver-
10 legenheit zu bringen.

11 „Offiziere und Soldaten!" fuhr George fort. „Hier steht
12 Berthier vor euch. Ich habe ihn zum Marschall von Frankreich
13 gemacht. Heute erwartet ihn die allergrößte Ehre: er selber
14 wird zu den Truppen im Namen des Kaisers sprechen." Und
15 er gab Berthier das Blatt: „Marschall von Frankreich, lesen Sie!"

16 Der andere Schauspieler wurde vor Schreck blaß. Dann
17 verbeugte er sich tief vor dem Kaiser. „Sire," sagte er, „ich
18 danke Ihnen für diese große Ehre, aber ich bin ihrer nicht
19 würdig. Ich bin nur ein einfacher Soldat—ich habe leider nie
20 lesen gelernt." Und mit diesen Worten gab er George das Blatt
21 wieder zurück.

GRAMMATISCHE ERKLÄRUNGEN UND ÜBUNGEN

BEISPIEL	ERKLÄRUNG
A. Zeile 4:	
überreichen **Er überreichte ihm das Blatt.** **Aber:** Die Milch kocht über.	**Durch-, über-, unter-, voll-, um-** und **wieder-** sind trennbar, wenn die Vorsilbe betont ist (meistens wörtliche Bedeutung), untrennbar, wenn sie nicht betont ist (gewöhnlich übertragene Bedeutung).

Setzen Sie das fettgedruckte Verbum in die betreffenden Satzpaare ein: (*Beispiel:* **Der Zug fährt hier durch. Ein großer Schrecken durchfuhr ihn**).

Der Junge hat den Stab . . . . Der Feind hat die Front	**durchbrechen**
Er ist in den Dienst einer anderen Firma . . . . Er wurde verhaftet, weil er das Gesetz . . . hatte.	**übertreten**
Er ist von dieser Idee . . . Er ist mit dieser Idee nicht	**durchdringen**
Ein Gerücht . . . . Er . . . das Hindernis.	**umgehen**
Beinahe hätten wir das Kind . . . . Sie auf Ihrer Karte mit dem Zeigefinger die Grenzen des Landes!	**umfahren**
Das Schiff . . . die Wellen. Er hat das Band	**durchschneiden**
Er war mit dem Aufsatz nicht zufrieden und hat ihn . . . . Sie bitte diesen Ausdruck mit einem andern.	**umschreiben**
Er. . . die Frage ganz einfach. Die Augen . . . ihm	**übergehen**
Ich . . . mich mit ihm. Hier ist ein Krug mit Wasser; . . . Sie bitte Ihr Glas	**unterhalten**
Der Schüler . . . das Beispiel. Der Hund . . . den Stock	**wiederholen**
Er hat die Arbeit	**vollenden**
Ich habe ein ganzes Blatt	**vollschreiben**

Bilden Sie je einen Satz mit den Verben **übersetzen, durchschauen** und **vollfüllen.**

B. Zeile 5–6:

Er lernte . . . auswendig.

Einige verbale Ergänzungen werden wie trennbare Vorsilben behandelt, so daß in den einfachen Verbformen dieser Teil am Ende des Satzes steht.

Bilden Sie Sätze mit folgenden Redewendungen:

Aufmerksamkeit schenken, Auto fahren, Abschied nehmen, Klavier spielen, in Kauf nehmen, in Betracht ziehen, ausfindig machen, Schi laufen.

C. Zeile 7:

Bei der sechsten Vorstellung

Die Präposition „bei" hat im allgemeinen die Bedeutung „im Zusammenhang mit", „in der Nähe von", „im Hause von" usw.

Ersetzen Sie in den folgenden Sätzen das Wort „bei" durch einen anderen Ausdruck:

1. Sie stand bei dem schlafenden Kind.
2. Er wohnt in Bad Godesberg bei Bonn.
3. Bei schlechtem Wetter findet das Konzert im Saale statt.
4. Ich kaufe mein Brot immer bei Herrn Heinzinger.
5. Ich habe kein Geld bei mir.
6. Bei allem Fleiß fiel er doch durch.
7. Er wohnt bei seinem Onkel.
8. Es steht bei Ihnen, ob Sie diesen Rat befolgen.
9. Gib mir das Buch bei Gelegenheit zurück.
10. Bei diesem schlechten Licht kann man nicht lesen.
11. Beim Arbeiten soll man nicht rauchen.
12. Du bist wohl nicht bei Sinnen.
13. Er nahm das Kind bei der Hand.
14. Bei den Studenten herrschte große Aufregung.
15. Bei uns in Berlin ist das nicht gebräuchlich.
16. Sie müssen beim Direktor anfragen.

D. Zeile 12–13:

Ich habe ihn zum Marschall gemacht.

Siehe auch Aufgabe Eins, Zeile 18:

Wien wurde ihm zur zweiten Heimat.

Erweiterung des Prädikats mit „zu" bedeutet das durch eine Tätigkeit hervorgerufene Ergebnis.

Bilden Sie Sätze mit den folgenden Ausdrücken:

zum Präsidenten wählen	zum Künstler geboren sein
zum Vorsitzenden ernennen	zum Verbrecher werden
zu nichts werden	zum Handwerker ausbilden (erziehen)
zum König krönen	zum Kaiser ausrufen
zum Major befördern	zu etwas Großem bestimmt sein

E. Zeile 18–19:

Ich bin ihrer nicht würdig. Das Adjektiv „würdig" verlangt den Genitiv.

Bilden Sie Sätze mit den folgenden Redewendungen, in denen das Adjektiv ebenfalls den Genitiv fordert:

seiner Sache sicher sein	keines schlechten Gedankens fähig sein
der Mühe wert sein	des Deutschen mächtig sein
des Erfolges gewiß sein	einer Arbeit müde sein
sich keines Fehlers bewußt sein	der Hilfe bedürftig sein
eines Verbrechens schuldig sein	

WORTSCHATZÜBUNGEN

Synonyme für „sagen".

Setzen Sie in die folgende Geschichte verschiedene Synonyme für das Wort „sagen" aus der untenstehenden Liste von Verben ein. Vermeiden Sie, dasselbe Wort zweimal zu gebrauchen.

Ein Mann kam einmal in ein Restaurant und setzte sich an einen Tisch. Dann (1) er laut: „Kellner!" Der Kellner kam und (2): „Womit kann ich dienen?" „Nun," (3) der Gast, „ich möchte einen Teller Erbsensuppe haben." „Einen Teller Erbsensuppe", (4) der Kellner und ging in die Küche. Bald kam er mit einem Teller voll dampfender Suppe zurück, den er vor den Gast hinsetzte. „Guten Appetit!" (5) er. Eine Weile (6—negativ: nichts sagen) der Gast, dann (7) er dem Kellner: „Ich kann diese Suppe nicht essen." Der Kellner war erstaunt und (8): „Aber unsere Erbsensuppe ist sehr gut!" Der Gast jedoch (9) nur: „Ich kann diese Suppe nicht essen."

Der Kellner holte den Koch, der eilig herbeikam und (10), was es gäbe. „Ich kann die Suppe nicht essen", (11) der Gast noch einmal. Da (12) der Koch: „Aber mein Herr, ich habe diese Suppe selbst gekocht—sie ist ausgezeichnet!" Und der Kellner (13): „Unser Koch ist berühmt für seine Erbsensuppe!" Der Gast aber (14), er könne die Suppe nicht essen. Obwohl der Koch versuchte, dem Mann zu (15), daß die Suppe tadellos sei, (16—negativ: nein sagen) der Gast, daß er die Suppe essen könne.

Verzweifelt schüttelte der Koch den Kopf und rief den Wirt. Als dieser kam, (17) ihm der Kellner, was geschehen war und der Koch (18), er könne einfach nicht verstehen, was der Gast an der Suppe auszusetzen habe. Der Wirt (19) dem Fremden, er setze sich persönlich für die Qualität der Suppe ein, aber der Gast (20) wieder, er könne die Suppe ganz einfach nicht essen.

Verzweifelt (21) der Wirt endlich: „Ja, warum können Sie die Suppe denn nicht essen?" „Ganz einfach", (22) der Gast, „weil ich keinen Löffel habe."

andeuten, antworten, auseinandersetzen, ausführen, behaupten, beistimmen, bestätigen, darauf bestehen, bestreiten, beteuern, bitten, dabei bleiben, darlegen, einwenden, entgegnen, erklären, sich erkundigen, erwidern, erzählen, fortfahren, fragen, gestehen, hinzufügen, klar machen, leugnen, meinen, raten, rufen, schreien, schweigen, überzeugen, versetzen, versichern, wiederholen, wissen wollen, wünschen, zugeben, zusammenfassen.

AUFSATZÜBUNG

A. Lassen Sie Heinrich George die Titelgeschichte wiedererzählen.

B. Erfinden Sie den Text für eine Proklamation, in der der Kaiser seine Rückkehr aus der Verbannung ankündigt.

C. Beschreiben Sie einen Streit der beiden Schauspieler nach der Vorstellung.

Verwenden Sie einige der folgenden Ausdrücke und Redewendungen:

die Ansprache
der Auftritt
der Aufzug
die Bühne
sich zu helfen wissen
nicht auf den Mund gefallen sein
das Lustspiel
Rache nehmen
die Rampe
das Schauspiel
der Souffleur
das Trauerspiel

AUFGABE 6 SECHS

Die seltenen Eier

1 Kaiser Joseph II. von Österreich war einmal auf der Reise,
2 als er plötzlich von einem Sturm überrascht wurde. Er kehrte
3 in einem nahen Wirtshaus ein und bestellte ein einfaches Essen:
4 zwei weichgekochte Eier und ein Butterbrot.
5 Als er alles verzehrt hatte, verlangte er die Rechnung. Ein
6 Kellner kam und brachte ihm eine Rechnung von 200 Kronen.
7 Der entrüstete Kaiser ließ sofort den Wirt kommen und ver-
8 langte eine Erklärung. Er wollte wissen, ob die Eier hier so
9 selten seien. Der Wirt antwortete ihm, daß die Eier zwar nicht
10 sehr selten seien, die Kaiser aber um so mehr. Lachend bezahlte
11 Joseph II. die Rechnung.

GRAMMATISCHE ERKLÄRUNGEN UND ÜBUNGEN

BEISPIEL	ERKLÄRUNG
A. Zeile 5: **verzehren, verlangen**	Die Vorsilbe „ver-" hat drei Hauptbedeutungen: 1. Verstärkung oder Vollendung der Handlung. 2. Übersteigerte oder negative Handlung. 3. *Reflexiv:* Fehler oder Irrtum in der Handlung.

Bilden Sie Sätze mit je vier der folgenden Wortpaare, die den Unterschied zwischen dem einfachen Verbum und dem Kompositum zeigen:

1. arbeiten — verarbeiten
binden — verbinden
brauchen — verbrauchen
dienen — verdienen
hindern — verhindern
hungern — verhungern
lassen — verlassen
schreiben — verschreiben
sprechen — versprechen
stecken — verstecken
zweifeln — verzweifeln

2. achten — verachten
führen — verführen
kaufen — verkaufen
kennen — verkennen
mieten — vermieten
raten — verraten
sagen — versagen
salzen — versalzen
schlafen — verschlafen
wünschen — verwünschen

3. hören — sich verhören
laufen — sich verlaufen
schlucken — sich verschlucken
schreiben — sich verschreiben
singen — sich versingen
sprechen — sich versprechen

Anmerkung. In manchen Verben ist der Sinnzusammenhang mit dem Stammverb nicht mehr deutlich erkennbar. Erklären Sie den Unterschied zwischen folgenden Wortpaaren, indem Sie sie in je zwei Sätzen gebrauchen:

bringen — verbringen
geben — vergeben
lassen— sich auf etwas (jemanden) verlassen
nehmen — vernehmen
stehen — verstehen
tragen — sich vertragen
wenden — verwenden

B. Zeile 7:

Er ließ den Wirt kommen.

Das Wort „lassen" hat fünf verschiedene Bedeutungen:

1. etwas erlauben
2. etwas veranlassen
3. etwas vergessen oder zurücklassen
4. etwas nicht (oder nicht mehr) tun
5. *Reflexiv:* Passives können (etwas, das getan werden kann)

Erklären Sie die verschiedenen Bedeutungen des Wortes „lassen", indem Sie die folgenden Sätze mit synonymen Formen umschreiben:

1. Er ließ den Mann hereinkommen.
Ich werde das nicht geschehen lassen.
Der Junge läßt keine anderen Kinder mit seinem Ball spielen.

2. Er ließ den Mann hereinkommen. (Andere Bedeutung)
Wir lassen den Arzt holen.
Ich lasse mir einen Anzug machen.

Sie lassen sich ein Haus bauen.
Der Chirurg ließ eine Röntgenaufnahme machen.
Wollen Sie sich die Haare schneiden lassen?

3. Ich habe meinen Mantel zu Hause gelassen.
Wo haben Sie Ihren Verstand gelassen?

4. Lassen Sie das!
Ich kann das Rauchen nicht lassen.
Er kann tun und lassen, was er will.

5. Dieses Experiment läßt sich leicht wiederholen.
Das läßt sich nicht beweisen.
Er ließ sich leicht überreden.
Eine Lösung ließ sich noch nicht finden.

C. Zeile 8–9:

ob die Eier hier so selten seien Konjunktiv der indirekten Rede.

1. Verwandeln Sie alle indirekten Redeformen des Lesestücks in dieser Aufgabe in direkte Rede.

2. Schreiben Sie alle Reden des Textes in Aufgabe Vier (Liebesbriefe) in indirekter Rede.

3. Setzen Sie folgenden Brief in die indirekte Rede, indem Sie mit den Worten: „Mein Freund schrieb mir, . . ." beginnen; vermeiden Sie den Gebrauch von „daß".

„Mein Bruder Karl fährt morgen nach Hause. Er wird bald wieder zurückkehren, und die Eltern werden auch mitkommen. Gestern wollten wir einen Ausflug machen, aber das Wetter war zu schlecht. So bin ich zu Hause geblieben und studiere nun fleißig. Was wirst Du während der Ferien tun? Hast du schon Pläne gemacht? Bitte schreibe bald wieder und grüße Deine Schwester von mir."

WORTSCHATZÜBUNGEN

Homonyme.

Die deutsche Sprache hat viele Homonyme, d.h. Wörter, die dieselbe Form, aber verschiedene Bedeutung haben. Verwenden

Sie zehn der folgenden Wortpaare in Sätzen, die die Unterschiede in der Bedeutung zeigen:

der Band — das Band	der Messer — das Messer
der Erbe — das Erbe	der Schild — das Schild
der Heide — die Heide	der See — die See
der Hut — die Hut	die Steuer — das Steuer
der Kunde — die Kunde	der Tau — das Tau
der Leiter — die Leiter	der Tor — das Tor

der Weise — die Weise

Die folgenden Beispiele haben für beide Bedeutungen dasselbe Geschlecht, aber verschiedene Pluralformen. Verwenden Sie die Wortpaare in Sätzen:

die Bank — die Bänke, die Banken
der Bauer — die Bauer, die Bauern
die Mutter — die Mütter, die Muttern
der Strauß — die Strauße, die Sträuße
das Wort — die Worte, die Wörter

AUFSATZÜBUNG

A. Kaiser Joseph erzählt nach seiner Rückkehr den Damen und Herren seines Hofes die Geschichte der seltenen Eier.

B. Der Wirt erzählt seinen Freunden, wie er den Kaiser übervorteilt hat.

C. Beschreiben Sie einen Sturm oder ein Gewitter. Verwenden Sie einige der folgenden Ausdrücke und Redewendungen:

der Blitz zuckt	Ich möchte zahlen
Womit kann ich dienen?	zum Narren haben (halten)
der Donner rollt	die Peitsche
efeubewachsen	der Platzregen
einsam	Was bin ich schuldig?
gemütlich	sich tief verbeugen
das Gewitter	verlassen
es gießt in Strömen	verstaubt
Für wen hältst du mich?	wetterfest
der Kutscher	der Wolkenbruch

Der kluge Junge

1 Ein Schuljunge ging einmal die Straße entlang. Als er an
2 einem Kolonialwarenladen vorbeikam, trat er ein und fragte den
3 Gehilfen, der am Ladentisch stand, was ein Pfund Kaffee
4 kostete. Nachdem er die Antwort erhalten hatte, erkundigte
5 er sich nach dem Preis des Zuckers. Auch darüber gab der
6 Angestellte bereitwillig Auskunft. Daraufhin wollte der Junge
7 wissen, was er für drei Pfund Kaffee und zwei Pfund Zucker
8 bezahlen müsse. Als er auch das erfahren hatte, fragte er: „Was
9 würde ich zurückbekommen, wenn ich Ihnen ein Zehnmark-
10 stück gäbe?" Schließlich bat er den Kaufmann, ihm alles auf
11 ein Stück Papier aufzuschreiben. Da riß dem Verkäufer endlich
12 die Geduld, und er fragte den Jungen, warum er das alles wissen
13 wolle. Mit einem unschuldigen Gesicht erklärte der Kleine, das
14 sei seine Schulaufgabe für morgen—und schleunigst verließ er
15 den Laden.

GRAMMATISCHE ERKLÄRUNGEN UND ÜBUNGEN

BEISPIEL	ERKLÄRUNG
A. Zeile 1: **Die Straße entlang**	Die Worte „entlang", „hindurch" (Akk.), „gegenüber", „nach", „zuwider" (Dat.), „halber" und „wegen" (Gen.) stehen oft hinter dem Wort, das sie regieren.

Geben Sie ein Beispiel für jede der obigen Postpositionen in einem Satz.

BEISPIEL	ERKLÄRUNG
B. Zeile 3: **der Gehilfe**	Die Vorsilbe „Ge-" bedeutet gewöhnlich **Zusammensein** oder **Gesamtheit.**

Verwenden Sie die folgenden Wörter in Sätzen, die ihre Bedeutung zeigen:

1. (Mask.) Gedanke, Gefährte, Genosse, Geselle
2. (Fem.) Gemeinde, Geschichte
3. (Neut.) Gebäude, Gebirge, Gemüse, Gerippe, Getreide

Nicht alle Wörter mit der Vorsilbe „Ge-" enden in **-e.** Zeigen Sie die Bedeutung von zehn der folgenden Substantive in Sätzen:

das Gebiß	das Gefühl	der Gesang	die Gesundheit
der Gebrauch	das Geheimnis	das Gesetz	das Gewicht
das Gedächtnis	das Gehör	das Gesicht	der Gewinn
die Geduld	das Gepäck	das Gespräch	das Gewissen
die Gefahr	das Gericht	die Gestalt	die Gewohnheit

C. Zeile 7:

drei Pfund Kaffee

Maskulina und Neutra als Maßeinheiten stehen immer im Singular; Feminina (außer *Mark*) haben Pluralformen.

Verwenden Sie die folgenden Maßbegriffe in Sätzen im Plural:

Flasche, Fuß, Glas, Grad, Gramm, Laib, Mann, Mark, Meile, Meter, Pfennig, Pfund, Schilling, Stück, Tasse, Zoll.

D. Zeile 8–10:

Was würde ich zurückbekommen, wenn ich Ihnen zehn Mark gäbe?

Im Hauptsatz einer irrealen Bedingung wird die Form „würde . . . + Infinitiv" oft dem einfachen Konjunktiv vorgezogen.

Aber:

Auch wenn ich wollte, könnte ich Ihnen nicht helfen.

Hilfsverben und Modalverben gebrauchen den Konjunktiv.

Auch:

Er wäre gekommen, wenn er Zeit gehabt hätte.

Irreale Bedingungen der Vergangenheit gebrauchen im Hauptsatz meist den Konjunktiv des Hilfsverbums.

Ändern Sie die folgenden Sätze um, indem Sie: (*a*) irreale Bedingungen der Gegenwart; (*b*) irreale Bedingungen der Vergangenheit bilden:

1. Ich bleibe länger, wenn ich kann.
2. Wenn ich Sie besuche, bringe ich meinen Freund mit.
3. Ich gehe gern mit Ihnen, wenn ich Zeit habe.
4. Ist er hier, so gebe ich ihm das Geld.
5. Er kann es sicher tun, wenn er es versucht.

WORTSCHATZÜBUNGEN

Synonyme für „machen".

Schreiben Sie Sätze, in denen Sie das Wort „machen" im Zusammenhang mit den folgenden Substantiven durch ein genaueres Verbum aus der untenstehenden Liste ersetzen. Vermeiden Sie wo möglich die Wiederholung desselben Verbums.

SUBSTANTIVE

eine Arbeit	ein Grab	eine Prüfung
einen Aufsatz	einen Graben	einen Purzelbaum
Aufsehen	Grimassen	eine Rede
das Essen	einen Knoten	Reime
eine Feier	einen Kranz	eine Reise
ein Fest	einen Kuchen	einen Vertrag
ein Feuer	ein Kunststück	einen Vortrag
einen Film	ein Kunstwerk	Vorbereitungen
einen Garten	einen Plan	eine Wette
ein Geständnis	ein Programm	eine Wolljacke

VERBEN:

abhalten, ablegen, abschließen, anlegen, anzünden, aufnehmen, aufsetzen, backen, bebauen, bestehen, binden, dichten, drehen, eingehen, entwerfen, erregen, fassen, feiern, flechten, geben, graben, halten, kochen, leisten, lesen, schaffen, schaufeln, schlagen, schließen, schmieden, schneiden, schreiben, stricken, treffen, unternehmen, veranstalten, zeigen, ziehen, zubereiten, zusammenfassen.

AUFSATZÜBUNG

A. Schreiben Sie die Szene zwischen dem Schuljungen und dem Verkäufer in der Form eines Dialogs.

B. Der Junge erzählt einem Schulkameraden, wie er die Aufgabe gelöst hat.

C. Erzählen Sie eine andere Geschichte, in der ein Junge einen Streich spielt.

Verwenden Sie einige der folgenden Ausdrücke und Redewendungen:

um Auskunft bitten	das Kleingeld
die Banknote	der Lausejunge, der Lausbub
Womit kann ich dienen?	die Münze
eine Frage stellen	das Papiergeld
Würden Sie die Güte haben?	der Schein
herausgeben	der Schlingel
um Himmels willen	wechseln

der Zettel

AUFGABE 8 ACHT

Das treffende Wort

1 Seit langer Zeit hat man sich in Deutschland bemüht,
2 französische Ausdrücke, die in früheren Jahrhunderten in die
3 deutsche Sprache eingedrungen waren, durch deutsche Worte
4 zu ersetzen. So ist das frühere *Adieu* durch den Gruß „Leben
5 Sie wohl!" oder „Auf Wiedersehen!" verdrängt worden.
6 „Es ist aber nicht so leicht, immer das richtige Wort zu
7 treffen", sagte Herr Krause zu seinem Freund, dem er auf der
8 Straße begegnete. „Neulich ist es mir nicht gelungen. Ich sagte
9 einem Bettler ‚Auf Wiedersehen!', und am nächsten Tag war er
10 schon wieder da. Als ich ihn hinauswerfen wollte, nannte er
11 mich einen Geizhals und sagte, ich hätte ihn doch gebeten,
12 wiederzukommen. Da gab ich ihm zwanzig Pfennig und entließ
13 ihn diesmal mit den Worten: ‚Leben Sie wohl.' Der unver-
14 schämte Mensch betrachtete die Münzen in seiner Hand und
15 fragte: ‚Was, von diesen paar Groschen?' "

GRAMMATISCHE ERKLÄRUNGEN UND ÜBUNGEN

BEISPIEL	ERKLÄRUNG
A. Zeile 4: **durch den Gruß**	Im Passiv gebraucht man „durch" für das Mittel der Handlung, „von" für den Handelnden.

Ergänzen Sie die folgenden Sätze mit den Substantiven in Klammern und der Präposition „durch" oder „von":

1. Der Kranke wurde geheilt. (der Arzt, die Behandlung)
2. Der Bär wurde getötet. (der Schuß, der Jäger)
3. Die Theorie ist bewiesen worden. (Faraday, der Versuch)
4. Der Aufruf wird bekanntgegeben. (das Radio, die Regierung)

Suchen Sie andere Beispiele für den Gebrauch von „durch" im Passiv.

B. Zeile 8:

Es ist mir nicht gelungen.
Aber:
Es wundert mich.

Manche unpersönliche Verben haben ein Dativobjekt, andere ein Objekt im Akkusativ.

Bilden Sie Sätze mit den folgenden unpersönlichen Verben:

ärgern (Akk.)	geschehen (Dat.)
einfallen (Dat.)	hungern (Akk.)
fehlen (Dat.)	leid tun (Dat.)
freuen (Akk.)	reuen (Akk.)
gefallen (Dat.)	scheinen (Dat.)
gehören (Dat.)	schmecken (Dat.)
gelingen (Dat.)	vorkommen (Dat.)

C. Zeile 10–11:

Er nannte mich einen Geizhals.

Die Verben fragen, kosten, lehren, nennen und schimpfen (schelten) werden mit einem Doppelakkusativ gebraucht.

Setzen Sie die in Klammern stehenden Objekte in die folgenden Sätze ein:

1. Er schimpfte (schalt) (der Mann, ein Narr)
2. Seine Mutter nannte (er, ihr Liebling)
3. Das wird ... kosten. (der Verbrecher, der Kopf)
4. Er fragte (der Lehrer, die dümmsten Dinge)
5. Er lehrte (die Kinder, der Tanz)

D. Zeile 12:

entließ

Die Vorsilbe „ent-" bedeutet:

1. Trennung
2. Umkehrung ins Gegenteil
3. Beginn

Bilden Sie Sätze mit den folgenden Verben und erklären Sie ihre Bedeutung durch synonyme Umschreibung:

1. entführen, enthaupten, entlaufen, entnehmen
2. entdecken, entehren, entfärben, entwaffnen
3. entbrennen, entschlummern, entstehen, entzünden

WORTSCHATZÜBUNGEN

Vergleiche.

Durch einen Vergleich kann man einen Ausdruck oft stärker, genauer oder plastischer machen. Solche Vergleiche sind besonders in der Umgangssprache häufig.

Ergänzen Sie die folgenden Vergleiche durch eines der untenstehenden Wörter:

Er ist arm wie	Er hat Hunger wie	Er schläft wie
Er hat Augen wie	Er läuft wie	Sie ist schlank wie
Es brennt wie	Er lügt wie	Er schreit (brüllt) wie
Sie ist dünn wie	Er paßt auf wie	Er schweigt wie
Sie ist eitel wie	Er raucht wie	Er spricht wie
Er ißt (frißt) wie	Sie redet wie	Er stiehlt wie
Er flucht wie	Es regnet (gießt) wie	Er trinkt (säuft) wie
Er freut sich wie	Er scheut (haßt) es wie	Er zittert wie
Er ist häßlich wie	Er schimpft wie	

Ein Bär, ein geölter Blitz, ein Buch, ein Dragoner, ein (Scheunen-) Drescher, eine Elster, Espenlaub, aus Fässern, gedruckt, das Grab, mit Eimern, ein Hase, eine Kirchenmaus, ein Luchs, die Nacht, ein Pfau, ein Rohr, ein Rohrspatz, mit Scheffeln, ein Schießhund, ein Schlot, ein Schneekönig, ein Schwamm, am Spieß, ein Stein, ein Stier, Stroh, die Sünde, eine Tanne, ein Wasserfall, ein Wiesel, der Wind, ein Wolf.

AUFSATZÜBUNG

A. Erzählen Sie die Geschichte wieder, wie sie der Bettler seinen Freunden zum besten geben würde.

B. Erfinden Sie ein Gespräch zwischen einem Hausierer und einer Hausfrau.

Verwenden Sie einige der folgenden Ausdrücke und Redewendungen:

arbeitslos	Ich brauche nichts!
ein armer Teufel	entrüstet
betteln gehen	einen Gefallen tun

sein Glück versuchen
hausieren gehen
Mitleid haben
jemanden zum Narren haben (halten)
schäbig
stempeln gehen
Vergelt's Gott!
etwas wörtlich nehmen
zerlumpt
zornig

Ein guter Ausweg

1 In dem Dorfe Schilda lebte einmal ein Schmied, der wegen
2 seines Jähzornes bekannt war. Eines Tages geriet er im Rausch
3 mit einem seiner Freunde in Streit und erschlug ihn. Da er seine
4 Tat eingestand, hatte der Richter keine andere Wahl, als ihn
5 zum Tode zu verurteilen.
6 Da kamen die Schildbürger zusammen, um gemeinsam zu
7 beraten, wie dem Mann zu helfen sei. Endlich beschlossen sie,
8 ein Gesuch an den Richter zu schreiben und ihn zu fragen, ob
9 es ihm nicht möglich wäre, sich des Schmieds zu erbarmen. Sie
10 sähen zwar ein, daß Gerechtigkeit herrschen müßte, der Mann
11 wäre aber der einzige Schmied und dem Dorfe unentbehrlich.
12 Andererseits aber gäbe es im Dorf zwei Weber. Vielleicht wäre
13 der Richter bereit, statt des einzigen Schmieds einen der Weber
14 hängen zu lassen.

GRAMMATISCHE ERKLÄRUNGEN UND ÜBUNGEN

BEISPIEL	ERKLÄRUNG
A. Zeile 6–7:	
um zu beraten	Bei der „um . . . zu" Konstruktion treten die vom Infinitiv abhängigen Satzteile zwischen „um" und „zu"; ebenso bei „ohne . . . zu" und „(an)statt . . . zu".

Bilden Sie je einen Satz mit **anstatt, ohne** und **um** und einem abhängigen Infinitiv mit **zu.**

BEISPIEL	ERKLÄRUNG
B. Zeile 7:	
wie dem Mann zu helfen sei	Das Verbum „sein" im Zusammenhang mit dem Infinitiv mit „zu" vertritt eine passive Konstruktion mit der Bedeutung, daß etwas getan werden kann, soll oder muß.

Umschreiben Sie die folgenden Sätze mit „sein" und einem Infinitiv: (*Beispiel:* Man konnte ihn telephonisch nicht erreichen. **Er war telephonisch nicht zu erreichen.**)

1. Das kann man leicht verstehen.
2. Hier müssen Vorsichtsmaßnahmen getroffen werden.
3. In erster Linie sollte man hier Schiller erwähnen.
4. Auf diesem Gebiet mußte noch viel getan werden.
5. Zu diesem Problem kann keine Lösung gefunden werden.
6. Die Bedeutung dieser Regel darf man nicht unterschätzen.
7. Dieser Fehler konnte nicht wieder gutgemacht werden.
8. Nur noch einige Beispiele sollen hier erwähnt werden.
9. Diese Anordnungen müssen streng befolgt werden.

C. Zeile 8–9:

ob es ihm nicht möglich wäre — Viele Adjektive regieren den Dativ.

Ebenso Zeile 11:

dem Dorfe unentbehrlich

Bilden Sie Sätze mit fünfzehn der folgenden Adjektive:

ähnlich, angenehm, behilflich, bekannt, böse, dankbar, feindlich, fremd, freundlich, gehorsam, gleich, gleichgültig, lästig, leicht, lieb, nahe, nützlich, recht, schädlich, schuldig, teuer, treu, überlegen, unbegreiflich, verhaßt, wert, willkommen.

Ebenso gibt es Verben, die Dativ regieren. Verwenden Sie zwölf der folgenden Verben in Sätzen:

ähneln, antworten, befehlen, begegnen, danken, dienen, drohen, entsagen, entgegnen, fluchen, folgen, gehorchen, glauben, gleichen, gratulieren, helfen, sich nähern, passen, raten, schaden, schmeicheln, (ver)trauen, vergeben (verzeihen), weh tun, widersprechen, widerstehen, winken.

Siehe auch unpersönliche Verben in Aufgabe Acht.

D. Zeile 9:

sich des Schmieds zu erbarmen — Einige Verben verlangen ein Objekt der Person oder der Sache im Genitiv.

Bilden Sie Sätze mit zehn der folgenden Verben und einem Genitivobjekt:

anklagen	berauben	sich rühmen
bedürfen	beschuldigen	sich schämen
belehren	sich erfreuen	versichern
sich bemächtigen	gedenken	würdigen

WORTSCHATZÜBUNGEN

A. Vorsilben mit negativer Bedeutung.

Es gibt verschiedene Vorsilben mit der Bedeutung „falsch" oder „schlecht", z.B. die Art — **die Unart;** das Verhältnis — **das Mißverhältnis;** der Weg — **der Irrweg;** usw. Verbinden Sie zehn der folgenden Substantive mit einer Vorsilbe mit negativer Bedeutung und bilden Sie mit jedem Wort einen Satz:

die (Be)handlung	der Gott	die List
der Dank	die Gunst	der Mensch
der Eid	der Klang	der Schluß
die Ernte	das Kraut	die Sitte
der (Ge)brauch	die Lehre	die Tat
das Glück	die Leistung	der Tritt

Erklären Sie durch synonyme Umschreibung den Unterschied zwischen:

1. abergläubisch, irrgläubig, ungläubig
2. unsinnig, widersinnig, irrsinnig
3. der Unverstand, das Mißverständnis

B. Feminine Endungen.

Bilden Sie mit zehn der folgenden Adjektive Feminina auf **-heit, -keit** oder **-igkeit** und verwenden Sie sie in Sätzen:

dankbar	fruchtbar	müde
ehrlich	gemütlich	richtig
ewig	genau	sauber
faul	hell	schlecht
fest	klug	sicher
frei	krank	süß
fromm	leicht	tapfer

AUFSATZÜBUNG

A. Verfassen Sie das Gnadengesuch der Schildbürger an den Richter und seine Antwort. Verwenden Sie einige der folgenden Ausdrücke und Redewendungen:

etwas ausbessern	nötig haben
barmherzig sein	der Pflug
in Betracht ziehen	Pferde beschlagen
Gnade für (vor) Recht ergehen lassen	an Stelle (*Genitiv!*)
das Hufeisen	überflüssig
der Karren	unersetzbar
das Leben schenken	ein Urteil fällen

B. Beschreiben Sie den Streit zwischen dem Schmied und seinem Freund.

C. Setzen Sie das Geständnis des Schmiedes auf.

Der beliebte Filmstar

1 Als der Film noch in seinen Kinderschuhen steckte, gelang
2 es dem Künstleragenten David Friedmann, einen glänzenden
3 Vertrag für den damals noch wenig bekannten Schauspieler
4 Hans Albers abzuschließen. Albers galt damals als talentierter
5 Anfänger und hatte noch nie mehr als 250 Mark die Woche
6 verdient. Friedmann ließ ihn nach Berlin kommen und empfing
7 ihn auf dem Bahnhof, um ihn über den Kurfürstendamm zum
8 Büro der Filmgesellschaft Ufa zu führen.
9 Friedmann trug einen mit zweitausend Pfennigen gefüllten
10 Sack bei sich, und unterwegs ließ er alle paar Schritte einen
11 Pfennig aus einem Loch herausfallen. Kinder kamen gelaufen,
12 um die Geldstücke aufzuheben, und bald kamen auch neugierige
13 Erwachsene hinzu. Als die beiden nach und nach in die Nähe
14 des Ufabüros kamen, lief eine große, schreiende Menschenmenge
15 hinter ihnen her.
16 Bei der Ufa steckte man wegen des Lärms die Köpfe aus den
17 Fenstern, und die Direktoren waren von der scheinbaren Beliebt-
18 heit Albers' so sehr beeindruckt, daß sie ihm sofort einen Vertrag
19 für 1000 Mark die Woche anboten.

GRAMMATISCHE ERKLÄRUNGEN UND ÜBUNGEN

BEISPIEL	ERKLÄRUNG
A. Zeile 4–5:	
Albers galt als talentierter Anfänger.	Nominativ im Prädikat nach „als" oder „wie"; ebenfalls nach den Verben „bleiben", „dünken", „heißen", „scheinen", „sein" und „werden".

Ergänzen Sie die folgenden Sätze durch die Substantive und Adjektive in Klammern und, wo nötig, einen unbestimmten Artikel:

1. Er starb als (groß, der Held).
2. Ich komme als (gut, der Freund).

3. Er sprach als } (alt, der Lehrer). { *Was ist der Unterschied zwischen diesen beiden Sätzen?* }
4. Er sprach wie }
5. Er dünkt sich (klug, der Mensch).
6. Wer nicht liebt Wein, Weib und Gesang,
   Der bleibt (der Narr) sein Leben lang.
7. Er sieht aus wie (krank, der Mann).
8. Ich verbleibe mit besten Grüßen (Dein, alt, der Freund).

B. Zeile 5:

250 Mark die Woche — Akkusativ des Maßes (absoluter Akk.).

Ergänzen Sie die folgenden Sätze durch die Substantive in Klammern:

1. Er kümmerte sich (der Teufel) um alle Drohungen.
2. Dieser Sack ist (ein Zentner) schwer.
3. Das ist (kein Pfennig) wert.
4. Er ist (ein Kopf) größer als ich.
5. Er kam ins Zimmer, (der Hut) in der Hand.
6. Die Äpfel kosten drei Mark (das Pfund).

C. Zeile 3–4:

den damals noch wenig bekannten Schauspieler Albers — Die Partizipialkonstruktion ersetzt den Relativsatz.

Ebenso Zeile 9–10:

einen mit 2000 Pfennigen gefüllten Sack

Schreiben Sie in den folgenden Sätzen die Partizipialkonstruktionen als Relativsätze: (*Beispiele:* den Schauspieler Albers, der damals noch wenig bekannt war; einen Sack, der mit 2000 Pfennigen gefüllt war.)

1. Nach dem 15. Jahrhundert entwickelte sich eine nicht mehr im Dienst der Kirche stehende weltliche Kunst.
2. Wir befassen uns heute mit der bereits anfangs erwähnten Philosophie Nietzsches.
3. Der am 6. Mai 1856 in Freiberg, Mähren, geborene und sich 1885 in Wien habilitierende Nervenarzt Freud wird heute als der Hohepriester der von ihm begründeten neuen Wissenschaft der Psychoanalyse angesehen.
4. Durch Einreichung bei der für die Entscheidung über die Beschwerde zuständigen Behörde wurde der Streitfall endlich entschieden.

5. Wir fuhren in einem von einem Freunde geliehenen und durch vielen Gebrauch schon ziemlich wertlos gewordenen Automobil in einem gemütlichen, unserer Ferienstimmung entsprechenden Tempo durch das wegen seiner romantischen Schönheit und seines guten Weines mit Recht berühmte Rheintal.

WORTSCHATZÜBUNGEN

Nachsilben: -bar, -haft, -ig, -isch, -lich, -sam.

Verwenden Sie die folgenden Adjektivpaare in Sätzen und erklären Sie den Unterschied in der Bedeutung durch synonyme Umschreibung:

arm — ärmlich
ausführbar — ausführlich
furchtbar — furchtsam
geistig — geistlich
geschäftig — geschäftlich
halbjährig — halbjährlich
heimisch — heimlich
herrisch — herrlich
höfisch — höflich
kindisch — kindlich
kostbar — köstlich
künstlich — künstlerisch
mündig — mündlich
nordisch — nördlich
schadhaft — schädlich
schmeichelhaft — schmeichlerisch
sparsam — spärlich
unbrauchbar — ungebräuchlich
unglaublich — ungläubig
unverkäuflich — unverkaufbar
untrennbar — unzertrennlich
verständig — verständlich
vorzeitig — vorzeitlich
weibisch — weiblich

AUFSATZÜBUNG

A. Erzählen Sie eine Anekdote aus dem Leben irgendeines Filmstars.

B. Schreiben Sie die obige Geschichte als Zeitungsbericht.

Verwenden Sie einige der folgenden Ausdrücke und Redewendungen:

der Anhänger
Aufsehen erregen
der Aufzug
sich großer Beliebtheit erfreuen
der Berichterstatter
der Bewunderer
einen Eindruck machen
erfolgreich
geldgierig
hinters Licht führen
etwas ist los
der Menschenauflauf
der Rattenfänger von Hameln
übervorteilen

Till Eulenspiegel

1 Till Eulenspiegel hatte sich einmal mit einem Fürsten so
2 gestritten, daß dieser ihm verbot, jemals wieder sein Land zu
3 betreten. Till kaufte sich Pferd und Wagen und ritt davon. Als
4 er einen Bauern bei der Arbeit sah, fragte er ihn, wem das Feld
5 gehöre, das er gerade pflügte. Als der Bauer antwortete, daß es
6 sein eigener Acker sei, kaufte Eulenspiegel ihm für ein paar
7 Taler einen Wagen voll Erde ab, setzte sich darauf und fuhr
8 zum Schloß zurück. Vor dem Tor wartete er, bis der Fürst vor-
9 beikam. Als dieser zu schreien anfing und drohte, Eulenspiegel
10 am nächsten Baum aufhängen zu lassen, erklärte Till ihm ruhig,
11 daß er das Verbot genau befolgt habe. Er habe ja das Land des
12 Fürsten gar nicht betreten, sondern sei nun auf seinem eigenen
13 Grund und Boden.

WORTSCHATZÜBUNGEN

Präpositionen I.

1. Verwenden Sie die Ausdrücke „seit drei Wochen, vor drei Wochen, nach drei Wochen, in drei Wochen, auf drei Wochen, drei Wochen" in Sätzen und erklären Sie ihre Bedeutung.

2. Verbinden Sie die folgenden Zeitausdrücke mit je einer Präposition und verwenden Sie sie in Sätzen:

der Abend, das Jahr, der Mittag, die Mitternacht, der Monat, der Morgen, der Nachmittag, die Nacht, der Tag, (die) Weihnachten, der Winter.

3. Verbinden Sie das Verbum „fahren" in Sätzen mit Präpositionen und folgenden Substantiven als Ziel:

die Alpen, der Bahnhof, Berlin, meine Eltern, Frankreich, das Gebirge, das Land, das Meer, die Schweiz, die See, der See, die Vereinigten Staaten, der Wald.

4. Verbinden Sie das Verbum „kämpfen" in Sätzen mit einer Präposition und jedem der folgenden Substantive:

der Feind, die Freiheit, die Front, das Geld, der Heldenmut, das Land, das Leben, die Liebe, die Luft, der See, Tod und Leben, das Vaterland.

5. Verbinden Sie zwölf der folgenden Substantive in Sätzen mit einer nachfolgenden Präposition: (*Beispiel:* Er hat Angst **vor** Dieben, denn er hat Angst **um** sein Geld).

die Abneigung	der Groll	die Schuld
die Achtung	der Grund	die Sehnsucht
der Anspruch	der Haß	die Teilnahme
der Ärger	das Interesse	die Verachtung
die Aussicht	die Liebe	das Vergnügen
der Bedarf	die Lust	das Verlangen
das Bedürfnis	der Mangel	das Verständnis
die Eifersucht	das Mitleid	die Vorliebe
die Ehrfurcht	die Neigung	der Widerwille
die Empörung	das Recht	die Wut
die Freude	der Respekt	der Zorn
die Furcht	die Rücksicht	der Zweifel

AUFSATZÜBUNG

A. Erzählen Sie eine andere Geschichte von Till Eulenspiegel, die Sie gehört oder gelesen haben.

B. Schreiben Sie die Geschichte in dieser Aufgabe als Dialog in drei Szenen:

1. Gespräch zwischen Eulenspiegel und dem Fürsten;
2. Gespräch zwischen dem Bauern und Eulenspiegel;
3. Gespräch zwischen Eulenspiegel und dem Fürsten.

Verwenden Sie einige der folgenden Ausdrücke und Redewendungen:

der Befehl	der Gauner
beleidigen	Euer Gnaden
Durchlaucht	mit heiler Haut davonkommen

Hoheit	bei Todesstrafe
der Narr	der Unsinn
der Schelm	Ist dies zu verkaufen?
sich sehen lassen	volladen
der Spitzbub	etwas wagen
es stimmt	Wieviel ist es dir wert?

AUFGABE **12** ZWÖLF

Das Programm

1 Der berühmte Klaviervirtuose Josef Hofmann war dafür
2 bekannt, daß er auf dem Konzertpodium durch nichts in Ver-
3 legenheit zu bringen war. Vor einigen Jahren hatte er für eine
4 Konzertreise drei verschiedene Programme vorbereitet, zwischen
5 denen er abwechselte. Eines Abends betrat er das Podium, vom
6 Publikum wie immer stürmisch begrüßt, setzte sich an den
7 Flügel und wartete, bis das Haus ruhig wurde.
8 Dann setzte er die Finger auf die Tasten und wollte eben
9 den ersten Ton anschlagen, als er plötzlich stutzte. Er hatte
10 vergessen, welches Programm er für diesen Abend angekündigt
11 hatte.
12 Gelassen stand er wieder auf, ging an den Rand der Bühne
13 und bat eine Dame in der ersten Reihe um ihr Programm. Er
14 warf einen Blick darauf, gab es ihr mit geflüstertem Dank zurück,
15 setzte sich wieder hin und begann zu spielen.

WORTSCHATZÜBUNGEN

Präpositionen II.

1. Viele Verben erfordern eine Ergänzung nach einer Präposition, die entweder den Dativ oder den Akkusativ verlangt. (Siehe z.B. oben, Zeile 13: Er bat die Dame **um** ihr Programm.) Gebrauchen Sie je drei der folgenden Verben mit einer Präposition in Sätzen. Achten Sie besonders auf diejenigen Verben, die mit mehreren Präpositionen verwendet werden können.

1. **an**	arbeiten (*Dat.*)	fehlen (*Dat.*)
	sich beteiligen (*Dat.*)	sich gewöhnen (*Akk.*)
	denken (*Akk.*)	glauben (*Akk.*)
	sich erinnern (*Akk.*)	sich halten (*Akk.*)
	erkennen (*Dat.*)	hindern (*Dat.*)

	leiden (*Dat.*)	sterben (*Dat.*)
	mangeln (*Dat.*)	teilnehmen (*Dat.*)
	sich rächen (*Dat.*)	verzweifeln (*Dat.*)
	schreiben (*Akk.*)	zweifeln (*Dat.*)
2. **auf**	achten (*Akk.*)	rechnen (*Akk.*)
	ankommen (*Akk.*)	schwören (*Akk.*)
	antworten (*Akk.*)	sich verlassen (*Akk.*)
	sich besinnen (*Akk.*)	vertrauen (*Akk.*)
	bestehen (*Dat.*)	verzichten (*Akk.*)
	eingehen (*Akk.*)	sich vorbereiten (*Akk.*)
	sich freuen (*Akk.*)	warten (*Akk.*)
	halten (*Akk.*)	zeigen (*Akk.*)
	hoffen (*Akk.*)	

3. **aus**	bestehen	4. **bei**	bleiben
	sich (nichts) machen		hindern
	stammen		es lassen
	werden		schwören
5. **für**	sich begeistern	6. **in**	sich fügen (Akk.)
	danken		sich irren (Dat.)
	halten		sich schicken (Akk.)
	sich interessieren		sich üben (Dat.)
	schwärmen		sich verlieben (Akk.)
	sorgen		sich vertiefen (Akk.)

(*Fortsetzung in der nächsten Aufgabe*)

2. Setzen Sie die passenden Präpositionen und Artikel in die folgenden Satzpaare ein:

1. Der Bauer arbeitet ... Feld.
   Der Soldat steht ... Feld.
2. Die Sterne stehen ... Himmel.
   Er war ... siebenten Himmel.
3. Die Kinder spielen ... Straße.
   Ich wohne ... Kaiserstraße.
4. Er ist blind ... einem Auge und taub ... einem Ohr.
   Das Pferd ist lahm ... einem Bein.
5. Er betet ... Gott.
   Er betet ... Gesundheit.

6. Er macht Forschungen ... Gebiet des Amazonenstroms.
   Er macht Forschungen ... Gebiet der Atomphysik.
7. Der Prinz lebt ... Hof des Königs.
   Der Knecht arbeitet ... Hof des Bauern.
8. Er hielt das Buch ... Hand.
   Er hielt das Kind ... Hand.
9. Ich ging quer ... Straße.
   Das Auto fuhr ... Straße.
10. Dieses Lied ist ... ganzen Land bekannt.
   Dieses Lied ist ... ganzen Welt bekannt.

Unterscheiden Sie zwischen folgenden Sätzen:

Der Preis wurde um drei Mark erhöht.
Der Preis wurde auf drei Mark erhöht.

AUFSATZÜBUNG

Schreiben Sie die Geschichte „Das Programm":

A. wie sie der Künstler einem Kollegen erzählt;
B. wie sie die Dame einer Freundin in einem Brief schreibt;
C. als Teil einer Rezension des Konzerts in der Zeitung.

Verwenden Sie einige der folgenden Ausdrücke und Redewendungen:

sich anstellen
ausverkauft
Beifall klatschen
auf der Bühne erscheinen
sich aus der Fassung bringen lassen
geistesabwesend
Karten bestellen
die Kasse
ein Konzert geben
die Loge
das Parkett
das Programm ändern
überfüllt
überrascht sein
sich verbeugen
vergeßlich
zerstreut

AUFGABE **13** DREIZEHN

Befehl ist Befehl

1 Bei jedem Unfall, durch den ein deutscher Soldat vorüber-
2 gehend dienstunfähig wird, muß seine Einheit einen Unfall-
3 bericht einreichen, der dazu dienen soll, gefährliche Methoden,
4 ungeeignetes Material oder andere Fehlerquellen festzustellen
5 und soweit wie möglich zu verhindern. So mußte ein junger
6 Leutnant der neuen Bundeswehr einen solchen Bericht abfassen,
7 als einem Unteroffizier ein schwerer Hammer auf den Fuß
8 gefallen war und er sich eine Zehe gebrochen hatte. In dem
9 Fragebogen muß auch die Frage beantwortet werden: „Was ist
10 veranlaßt worden, um Unfälle dieser Art in Zukunft zu ver-
11 hindern?"
12 Der Offizier ließ die Antwort auf diese Frage aus und sandte
13 den Bericht ein. Nach einigen Tagen erhielt er ein Schreiben
14 mit dem Vermerk, Punkt Sieben sei nicht vorschriftsmäßig
15 ausgefüllt worden. Obwohl der Leutnant zu erklären versuchte,
16 daß sich Unfälle dieser Art nicht durch vorbeugende Maß-
17 nahmen verhindern lassen, bestand das Verteidigungsministe-
18 rium in Bonn darauf, daß er das Formular genau ausfülle. End-
19 lich schrieb der Offizier zurück: „Die Mannschaft ist belehrt
20 worden, sich keine Hämmer auf die Füße fallen zu lassen." Und
21 nun war alles in Ordnung.

WORTSCHATZÜBUNGEN

Präpositionen III.

1. Verwenden Sie je drei der folgenden Verben mit einer nachfolgenden Präposition in Sätzen, wie in Aufgabe Zwölf:

(Fortsetzung)

7. **mit**	anfangen	nicken
	beginnen	sich verheiraten
	sich begnügen	sich verloben
	sich beschäftigen	wetten
	handeln	winken
8. **nach**	sich erkundigen	schicken
	fragen	schmecken
	greifen	sich sehnen
	sich richten	streben
	riechen	suchen
9. **über**	sich ärgern	nachdenken
(Akk.)	sich beschweren	sprechen
	sich freuen	streiten
	klagen	sich wundern
	lachen	
10. **um**	sich bemühen	sich sorgen
	sich handeln	streiten
	kommen	weinen
	sich kümmern	wetten
11. **von**	halten	schwärmen
	handeln	sprechen
12. **vor**	bevorzugen	schreien
(Dat.)	erröten	schützen
	erschrecken	(sich) verstecken
	sich fürchten	warnen
	sich hüten	weinen
	lachen	zittern

2. Ersetzen Sie den Nebensatz durch ein Substantiv mit einer Präposition. (*Beispiel:* Nachdem wir gegessen hatten, gingen wir spazieren. — **Nach dem Essen gingen wir spazieren.**)

1. Er starb drei Wochen, ehe der Krieg zu Ende war.
2. Wenn das Wetter schön ist, machen wir morgen einen Ausflug.
3. Ich habe ihn nicht mehr gesehen, seitdem er angekommen ist.
4. Obwohl er Fieber hatte, ging er zur Arbeit.
5. Wie die Zeitung berichtet, hat die Hitze gestern einen Höhepunkt erreicht.

6. Als ich zehn Jahre alt war, bekam ich meine ersten langen Hosen.
7. Wo der Main in den Rhein mündet, liegt Mainz.
8. Ich fahre ans Meer, um mich zu erholen.
9. Wenn man sich zu sehr überanstrengt, wird man krank.
10. Er verließ das Zimmer, während alle laut lachten.
11. Er blieb zu Hause, weil es stark regnete.
12. Das Kind weinte, weil es Angst hatte.

AUFSATZÜBUNG

A. Beschreiben Sie ein anderes Beispiel von „Amtsschimmel".

B. Erfinden Sie einen Briefwechsel zwischen dem Leutnant und einem Oberst im Verteidigungsministerium:

1. Der Leutnant schreibt einen Bericht über den Unfall.
2. Der Oberst schickt ihn als unvollständig zurück.
3. Der Leutnant erklärt, warum er die Frage nicht beantwortete.
4. Der Oberst verlangt eine vollständige Antwort.
5. Der Leutnant fügt sich ins Unvermeidliche.

Verwenden Sie einige der folgenden Ausdrücke und Redewendungen:

der Amtsschimmel
einen Befehl ausführen
in Frage kommen
der Gipsverband
wieder hergestellt sein
ins Krankenhaus einliefern
auf Krücken gehen
melden
verantwortlich sein
etwas vermeiden
sich an die Vorschriften halten
Vorsichtsmaßnahmen treffen
sich zufrieden geben
auf etwas zutreffen

AUFGABE **14** VIERZEHN

Der Zwanzigmarkschein

1 Frau Müller wollte einmal in die Stadt fahren, um Ein-
2 käufe zu machen. Beim Frühstück verlangte sie dazu Geld von
3 ihrem Mann. Herr Müller legte einen Zwanzigmarkschein auf
4 den Tisch und fuhr ins Büro. Einige Stunden später, als Frau
5 Müller im Zug saß, der sie in die Stadt bringen sollte, schloß sie
6 die Augen und schlief ein. Plötzlich erwachte sie, warf einen
7 Blick in ihre Handtasche und bemerkte zu ihrem Entsetzen,
8 daß das Geld verschwunden war. In der Ecke des Abteils saß
9 eine andere Dame, die fest schlief. Da Frau Müller sie für die
10 Diebin hielt, stand sie leise auf, nahm die Geldtasche der anderen
11 Frau vorsichtig an sich, zog einen Zwanzigmarkschein heraus
12 und ging an ihren Platz zurück.

13 Am Abend kam sie mit Paketen beladen wieder nach Hause.
14 Ihr Mann sah sie überrascht an, als sie ins Zimmer trat und
15 fragte sie, wie sie denn alle ihre Einkäufe besorgt habe. Und
16 damit zeigte er auf den Zwanzigmarkschein, der noch immer auf
17 dem Tisch lag.

WORTSCHATZÜBUNGEN

Aus dem Tierreich.

1. Welche Verben aus der untenstehenden Liste beschreiben die Stimmen der folgenden Tiere? (z.B. **der Hund bellt, die Kuh muht**):

der Bär, die Biene, der Frosch, die Gans, die Grille, der Hahn, das Huhn, der Kanarienvogel, die Katze, die Nachtigall, das Pferd, das Schaf, die Schlange, das Schwein, die Taube, die Ziege.

blöken, brummen, fauchen, gackern, grunzen, gurren, krähen, meckern, miauen, quaken, rufen, schlagen, schnattern, schnauben, schnurren, singen, summen, trillern, wiehern, zirpen, zischen, zwitschern.

2. Die folgenden Ausdrücke, die aus der Tierwelt abgeleitet sind, beschreiben Menschen. Erklären Sie zwölf der folgenden Ausdrücke durch synonyme Umschreibung. (*Beispiel:* **Ein Bücherwurm ist ein Mensch, der sehr viel liest.**)

Angsthase	Leseratte	Schlaufuchs
Brummbär	Naschkatze	Schmeichelkatze
Frechdachs	Pechvogel	Schmutzfink
Galgenvogel	Rabenvater	Spaßvogel
Hausdrache	Salonlöwe	Unglücksrabe
Hasenfuß, Hasenherz	Schafskopf	Wasserratte
Landratte	Schlafratte	Zieraffe

3. Ebenso gibt es viele andere Redewendungen aus der Tierwelt. Erklären Sie jeden der folgenden Ausdrücke durch synonyme Umschreibung oder geben Sie die Bedeutung in einfachen Redewendungen. (*Beispiel:* **Eine Katzenmusik ist sehr schlechte Musik oder Lärm.**)

der Affe	Affenliebe Maulaffen feilhalten
der Bär	jemandem einen Bären aufbinden auf der Bärenhaut liegen
der Bock	einen Bock schießen den Bock zum Gärtner machen ins Bockshorn jagen bockig sein sich die Hörner ablaufen
der Fisch	(gesund) wie ein Fisch im Wasser weder Fisch noch Fleisch
der Floh	jemandem einen Floh ins Ohr setzen lieber einen Sack Flöhe hüten
die Gans	Gänsefüßchen eine Gänsehaut bekommen
der Hahn	Hahn im Korb sein kein Hahn kräht danach
der Hase	Da liegt der Hase im Pfeffer! Mein Name ist Hase

das Huhn	da lachen die Hühner mit jemandem ein Hühnchen zu rupfen haben jemandem auf die Hühneraugen treten
der Hund	auf den Hund kommen, vor die Hunde gehen mit allen Hunden gehetzt sein da liegt der Hund begraben eine Hundekälte ein Hundeleben führen hundemüde sein ein Hundewetter wie ein begossener Pudel
die Katze	für die Katz' die Katze im Sack kaufen um etwas herumgehen wie die Katze um den heißen Brei katzenfreundlich der Katzenjammer ein Katzensprung
die Kuh	Das geht auf keine Kuhhaut
die Laus	jemandem eine Laus in den Pelz setzen Mir ist eine Laus über die Leber gelaufen
die Mücke	aus einer Mücke einen Elefanten machen
der Ochse	ochsen (büffeln) dastehen wie der Ochs vorm neuen Tor
das Pferd	auf Schusters Rappen auf hohem Roß sitzen
das Schaf	sein Schäfchen ins Trockene bringen
die Schlange	Schlange stehen
das Schwein	Schwein haben mit jemandem die Schweine hüten
der Vogel	einen Vogel haben den Vogel abschießen vogelfrei
der Wurm	jemandem die Würmer aus der Nase ziehen es wurmt mich

AUFSATZÜBUNG

A. Schreiben Sie die Geschichte vom Zwanzigmarkschein in Form von zwei Dialogen zwischen Herrn und Frau Müller:

1. Beim Frühstückstisch;
2. Am Abend.

B. Beschreiben Sie die Gedanken von Frau Müller im Zug in Form eines inneren Monologs.

Verwenden Sie einige der folgenden Ausdrücke und Redewendungen:

aufwachen	die Geistesgegenwart verlieren
die Augen aufschlagen	um Himmelswillen!
Besorgungen machen	sich müde fühlen
durchsuchen	na schön!
einverstanden!	ein Schläfchen halten
alles erledigen	ein Verbrechen begehen
erleichtert aufatmen	verdächtig
ein Geburtstagsgeschenk	verwirrt
Geld nötig haben	den Zug erreichen

AUFGABE **15** FÜNFZEHN

Die drei Wünsche des Hanswursts

1 Einem Hanswurst bot einmal ein Zauberer die Erfüllung
2 von drei Wünschen an. Ohne es sich lange zu überlegen, ant-
3 wortete der Hanswurst, daß er vor Hunger fast umkomme und
4 sich nach einem Stück Wurst sehne. Sogleich erschien auf dem
5 Tisch ein Teller mit einer gebratenen Wurst.
6 Die Frau des Hanswursts war wütend darüber, daß er sich
7 nichts Besseres gewünscht hatte und fing an, mit ihm zu streiten.
8 Endlich wurde der Hanswurst zornig und rief, er würde die
9 Wurst gern an der Nase seiner Frau hängen sehen. Kaum hatte
10 er die Worte ausgesprochen, so war der Wunsch auch schon
11 erfüllt, und die Wurst baumelte an ihrer Nasenspitze. Da fing
12 die Frau zu weinen an und bat den Hanswurst, er möge doch
13 den Wunsch aussprechen, daß die Wurst wieder verschwinde.
14 Endlich gab der Hanswurst nach, und von der Wurst war nichts
15 mehr zu sehen.
16 So waren die drei Wünsche nun erfüllt, mit dem Ergebnis,
17 daß der Hanswurst genau so arm war wie zuvor.

WORTSCHATZÜBUNGEN

Substantive, die oft verwechselt werden.

Wählen Sie abgeleitete Substantive oder Zusammensetzungen aus den folgenden Verben, Adjektiven und Substantiven von der rechtsstehenden Liste und setzen Sie sie in die Sätze ein:

aussehen:	Von diesem Berg hat man eine sehr schöne . . .	Aussehen
	Ich erschrak über sein krankes . . .	Aussicht
	Glauben Sie wirklich, daß Sie . . . auf diese Stellung haben?	Aussichten

aussprechen:	Er hat eine sehr gute . . . Endlich kam es zwischen ihnen zu einer öffentlichen . . . Dies ist ein bekannter . . . von Schiller.	Aussprache Ausspruch
bedürfen:	Seine . . . erregte Aufsehen und Mitleid. Dieses Land hat großen . . . an Rohstoffen. Es war mir ein . . . , Ihnen meinen Dank auszusprechen.	Bedarf Bedürfnis Bedürftigkeit
ein:	Dieses Drama ist ein gutes Beispiel für die . . . von Zeit und Ort. Die . . . Deutschlands ist ein wichtiges internationales Problem. Trotz langer Diskussion kamen sie zu keiner . . . Bei der Kleidung junger Leute findet man oft eine starke . . .	Einheit Einheitlichkeit Einigung Vereinigung
gegen:	Das . . . von reich ist arm. Ich suche ein . . . zu diesem Bild. Ein wichtiger . . . zwischen Amerika und Rußland ist die Auffassung der persönlichen Freiheit. Der . . . unseres Gespräches war die moderne Kunst. In . . . dieser Zeugen beschwöre ich meine Unschuld.	Gegensatz Gegenstand Gegenstück Gegenteil Gegenwart
gemein:	Was Sie gesagt haben, ist eine . . . Die Kosten der Straßenreparatur wurden von der . . . getragen. Er ist sehr selbstsüchtig und hat keinen Sinn für . . . Durch die . . . ihrer Interessen kamen sie sich näher.	Gemeinde Gemeinheit Gemeinsamkeit Gemeinschaft
kalt:	Er zitterte vor . . . Er leidet an einer . . .	Erkältung Kälte

klein:	Könnten Sie mir einen Gefallen tun? Es ist nur eine . . . Die Shetland Ponies sind wegen ihrer . . . bei Kindern besonders beliebt. Seine . . . in finanziellen Dingen ist fast unglaublich.	Kleinheit Kleinigkeit Kleinlichkeit
die Kunst:	Der Bildhauer schuf ein neues . . . Der Zauberer zeigte ein neues . . .	Kunststück Kunstwerk
der Mensch:	Seine Freigebigkeit ist ein Beweis seiner . . . Die modernen Kriegsmethoden sind eine Gefahr für die gesamte . . .	Menschheit Menschlichkeit
neu:	Haben Sie schon die letzte . . . gehört? Er hat viel geändert und hat viele . . . vorgenommen. Auf diesem Gebiet bin ich noch unerfahren; ich bin ein . . . Auf dem Gebiet der Damenmode gibt es jedes Jahr eine . . .	Neuerungen Neuheit Neuigkeit Neuling
sicher:	Ich habe eine . . . gegen Feuer und Diebstahl. Können Sie das mit . . . behaupten? Plötzlich ging das Licht aus; die . . . war durchgebrannt.	Sicherheit Sicherung Versicherung
die Tat:	Bei dem Streit kam es fast zu . . . Können Sie mir diese . . . beweisen? Was ist das Feld Ihrer . . . ?	Tätigkeit Tätlichkeiten Tatsache
unterhalten:	Die Kapelle sorgt für die . . . der Gäste. Der Vater sorgt für den . . . der Familie.	Unterhalt Unterhaltung
wandern:	Morgen machen wir eine . . . durch das Rheintal. Nach Abschluß seiner Lehrzeit ging er auf die . . .	Wanderschaft Wanderung

AUFSATZÜBUNG

A. Beschreiben Sie ein Zauberkunststück mit begleitenden Worten des Zauberkünstlers.

B. Schreiben Sie die Geschichte von den drei Wünschen als dramatische Szene zwischen dem Hanswurst, seiner Frau und dem Zauberer. Verwenden Sie einige der folgenden Ausdrücke und Redewendungen:

Was geht das dich an?	Ich möchte gern
etwas wohl bedenken	Was für ein Pech!
etwas bereuen	schimpfen
sich auf etwas besinnen	So sei es!
blöd	zur Strafe
der Dummkopf	voreilig
sich erbarmen	Was soll aus mir werden?
sich etwas merken	sich etwas wünschen

AUFGABE **16** SECHZEHN

Der brave Soldat Schwejk

1 Der Soldat Schwejk ist eine Figur aus der österreichischen
2 Armee des ersten Weltkriegs; er ist besonders durch seine un-
3 militärische Haltung und seine Bauernschlauheit bekannt
4 geworden.
5 Einmal, als Schwejk gerade auf dem Kasernenhof auf und
6 ab ging, faßte er den Plan, um Urlaub zu bitten. Er ging daher
7 zu seinem Leutnant und sagte ihm, seine Frau habe eine neue
8 Wohnung gefunden und brauche ihn, um ihr beim Umzug zu
9 helfen. Der Leutnant aber antwortete, Schwejks Frau hätte ihm
10 geschrieben, daß sie ihren Mann gar nicht nötig hätte und daß
11 es ihr sogar lieber wäre, wenn Schwejk nicht käme, weil er ihr
12 nur im Wege wäre. Achselzuckend ergab sich Schwejk in sein
13 Schicksal, salutierte, wandte sich um und ging weg.
14 Plötzlich blieb er stehen, dachte nach und kam wieder
15 zurück. Er erklärte dem Leutnant, daß in dieser Sache zwei
16 Leute gelogen hätten und gestand, einer davon zu sein—er wäre
17 gar nicht verheiratet!

WORTSCHATZÜBUNGEN

Adjektive, die oft verwechselt werden.

Setzen Sie je eines der von den folgenden Stammwörtern abgeleiteten Adjektive in die Beispiele ein:

beißen:	Er sprach mit . . . Spott.	beißend
	Dieser Hund ist . . .	bissig
die Dauer	Unter Schulkameraden entwickelt sich oft eine . . . Freundschaft.	andauernd
		ausdauernd
	Der . . . Lärm ging ihm auf die Nerven.	dauerhaft
	Er arbeitete mit . . . Fleiß.	

ein:	Ist das Ihr . . . Kind? Er führt ein sehr . . . Leben. Wir konnten darüber nicht . . . werden. Die Bände dieser Ausgabe kann man auch . . . kaufen.	einig einsam einzeln einzig
das Herz:	Wir haben . . . gelacht. (EBENSO: Ihr Aufsatz war . . . schlecht.) Das ist ein sehr . . . Kind. Im Krieg zeigte er sich als . . . Mann. Er gab mir eine offene, . . . Antwort.	beherzt herzhaft herzig herzlich
leben:	Eine Hecke aus grünen Sträuchern nennt man oft eine . . . Mauer. Hier herrscht immer sehr . . . Verkehr. Er wurde fast bei . . . Leib begraben.	lebend lebendig lebhaft
lehren:	Er ist ein sehr . . . Schüler. Das war wirklich ein . . . Buch. Er sprach in einem sehr . . . Ton. Dieser Mann ist ein sehr . . . Forscher.	gelehrig gelehrt lehrhaft lehrreich
die Liebe:	Ein Mensch, der Kinder liebt, ist kinder . . . Dieses Lied ist in Deutschland sehr . . . Er war immer nett und . . . zu mir. Ihr Sinn für Humor ist ein besonders . . . Zug ihres Charakters. Mein . . . Bruder! Sie sind sehr ineinander . . . Das war ein . . . Anblick.	beliebt geliebt -lieb liebenswert liebenswürdig lieblich verliebt
merken:	Er ist ein komischer und . . . Mensch. Das ist ein wirklich interessantes und . . . Buch.	bemerkenswert merkwürdig

der Schrecken:	Der Krieg ist . . .	schreckhaft
	Dieser Mann erschrickt leicht; er ist . . .	schrecklich
die Schuld:	Ich bin Ihnen keine Erklärung . . .	schuld
	Er war wirklich nicht . . . daran.	schuldhaft
	Sein Geschäft ist tief . . .	schuldig
	Das ist wirklich . . . Leichtsinn.	verschuldet
der Schwung:	Er hielt eine . . . Rede.	schwunghaft
	Es entwickelte sich bald ein . . . Handel.	schwungvoll
sehen:	Er war . . . gerührt.	absehbar
	Das Flugzeug verschwand hinter den Wolken und war nicht mehr . . .	absichtlich sichtbar sichtlich
	Werden Sie in . . . Zeit zurückkommen?	
	Das hast du . . . gemacht!	
	Diese Tat kann . . . Folgen haben.	unabsehbar
	Hier muß man langsam fahren; es ist eine . . . Kurve.	unsichtig unübersehbar
	Die Menschenmenge war . . .	unübersichtlich
	Das Wetter wurde langsam . . .	
die Sorge:	Er hat eine . . . Miene.	sorgenfrei
	Er macht seine Arbeit sehr genau und . . .	sorgenvoll sorgfältig
	Er lebt . . . in den Tag hinein.	sorglos
	Er ist ein vorsichtiger und . . . Mensch.	sorgsam
	Diese Erbschaft sichert ihm eine . . . Zukunft.	
der Sinn:	Ein Aphorismus ist eine . . . Bemerkung.	sinngemäß sinnig
	Seine Feinde sagen, er ist ein sehr . . . Mann.	sinnlich sinnreich
	Ich bin dir für dein . . . Geschenk sehr dankbar.	sinnvoll
	Der Arzt hat den Patienten . . . behandelt.	
	Das war der erste . . . Vorschlag!	

tragen:

Dieses Bergwerk ist sehr . . .
Sie arbeiten sehr . . . miteinander.
Ich finde dieses Essen schwer . . .
Der Verkauf von Juwelen ist ein . . . Geschäft.
Wir haben diesen Punkt . . . vereinbart.
Die Schmerzen waren kaum . . .
Das wird Ihrer Gesundheit sehr . . . sein.

einträchtig
einträglich
erträglich
ertragreich
vertraglich
verträglich
zuträglich

das Wunder:

Er ist ein . . . Kauz.
Das haben Sie . . . gemacht!
Er machte ein . . . Gesicht.
Das Resultat war nicht sehr . . .; wir haben nichts anderes erwartet.

wunderbar
wunderlich
verwunderlich
verwundert

AUFSATZÜBUNG

A. Der Leutnant erzählt einem anderen Offizier die Geschichte vom Soldaten Schwejk.

B. Erfinden Sie den Brief, den Schwejks Frau an den Leutnant geschrieben haben soll.

C. Schreiben Sie die Geschichte in Form eines Dialogs zwischen Schwejk und dem Leutnant.

Verwenden Sie einige der folgenden Ausdrücke und Redewendungen:

Abtreten!	kehrtmachen
die Ausrede	Es tut mir schrecklich leid
Ich bedaure sehr	der Lügner
Zu Befehl!	Möbel schleppen
behilflich sein	nämlich
der Drückeberger	stören
um einen Gefallen bitten	der Vorgesetzte
Bitte gehorsamst!	Wieso denn?
Was gibt es noch?	Wozu?

Zu viele Kinder

1 Ein deutscher Professor, Vater von acht Kindern, erklärte
2 sich eines Abends bereit, auf die Kinder, die im oberen Stock-
3 werke spielten, aufzupassen, damit seine Frau einmal ins Kino
4 gehen könnte. „Aber paß gut auf: keines darf wieder herunter-
5 kommen", sagte ihm seine Frau, ehe sie ging.
6 Er versprach, ihre Anordnungen auf den Buchstaben genau
7 zu befolgen, und setzte sich mit einem Buch ins Herrenzimmer.
8 Kurz darauf hörte er Schritte auf der Treppe. „Sofort gehst du
9 wieder hinauf!" befahl er streng.
10 Als er einige Minuten lang friedlich weitergelesen hatte,
11 hörte er wieder leise Schritte. Diesmal bekräftigte er seinen
12 Befehl dadurch, daß er mit Schlägen drohte. Aber schon bald
13 darauf vernahm er von neuem ein leises Geräusch. Er fuhr auf
14 und war gerade noch rechtzeitig auf dem Gang, um einen
15 kleinen Jungen über die letzten Stufen nach oben verschwinden
16 zu sehen.
17 Kaum war er zu seinem Buch zurückgekehrt, als es läutete
18 und eine Nachbarin ganz aufgeregt an der Tür erschien. „Ich
19 kann meinen Willi nirgends finden", jammerte sie. „Haben Sie
20 ihn vielleicht gesehen?"
21 „Hier bin ich, Mutti", kam eine tränenerstickte Stimme
22 vom oberen Stock. „Er läßt mich nicht nach Hause gehen!"

WORTSCHATZÜBUNGEN

Verben, die oft verwechselt werden.

Setzen Sie je eines der von den folgenden Stammwörtern abgeleiteten oder mit ihnen verwandten Verben in die Beispiele ein:

anders:	Ich konnte ihn kaum erkennen, so sehr hatte er sich . . . Glücklich ist, wer vergißt, was nicht mehr zu . . . ist. Die Reihenfolge des Programms wurde . . . Das Kleid paßte nicht gut und mußte ein wenig . . . werden.	abändern ändern umändern verändern
der Brauch:	Er hat sein ganzes Geld sehr schnell . . . Ich . . . einen neuen Hut. Die Vorräte wurden bald . . . Man muß lernen, Werkzeuge richtig zu . . .	aufbrauchen brauchen gebrauchen verbrauchen
breit:	Die Straße wurde . . . Die Waren sind im Schaufenster . . . Wer hat dieses Gerücht . . . ?	ausbreiten verbreiten verbreitern
deutsch:	Das Wort „fair" kann man schwer . . . Das Wort „Möbel" hat man aus dem Französischen . . .	eindeutschen verdeutschen
falsch:	Seine Papiere sind . . . Das Gesetz schützt uns gegen . . . Nahrungsmittel.	fälschen verfälschen
das Kleid:	Wir gehen heute abend aus; ich muß mich . . . Kinder . . . sich gern. Dieser Hut . . . dich sehr gut. Er stand auf und begann sich . . .	ankleiden kleiden umkleiden verkleiden
kräftig:	Er war krank, aber er hat sich sehr . . . Ich . . . meine Behauptung mit Beweisen.	bekräftigen kräftigen
kurz:	Er . . . sich die Wartezeit durch Zeitungslesen. Sein Gehalt wurde . . . In diesem Buch sind viele Namen . . .	abkürzen kürzen verkürzen

lassen	Wir wollen es diesmal dabei . . .	auslassen
	Ich habe meinen Regenschirm zu Hause . . .	belassen
		entlassen
	Er wurde fristlos . . .	lassen
	Er hat die Stadt . . .	verlassen
	Das nächste Kapitel wollen wir . . .	
mäßig:	Die Preise wurden . . .	ermäßigen
	Die Hitze hat sich . . .	mäßigen
offen:	Das Paket wurde . . .	eröffnen
	Ein neues Geschäft wird . . .	öffnen
der Schaden:	Das kann auf keinen Fall . . .	beschädigen
	Dieser dumme Streich hat seine Aussichten . . .	schaden
		schädigen
	Sein Auto war schwer . . .	
scharf:	Ich ließ meine Rasierklinge . . .	einschärfen
	Ich habe ihm den Befehl noch einmal . . .	schärfen
	Seine Strafe wurde . . .	verschärfen
die Schuld:	Er . . . mir zehn Mark.	beschuldigen
	Er wurde des Diebstahls . . .	schulden
	Was habe ich . . . ?	verschulden
schwach:	Er hat seine Bemerkungen . . . müssen.	abschwächen
	Die Anstrengung hat ihn sehr . . .	schwächen
stark:	Wir wollen uns ein wenig . . .	bestärken
	Es ist nicht hell genug; du mußt die Beleuchtung . . .	stärken
		verstärken
	Ich habe ihn in seinem Glauben . . .	

AUFSATZÜBUNG

A. Der Professor erzählt seiner Frau später, was geschehen ist.

B. Der kleine Junge erklärt seiner Mutter unter Tränen, warum er nicht nach Hause kam.

C. Die Nachbarin beschwert sich bei einer Freundin über den zerstreuten Professor, der seine eigenen Kinder nicht kennt.

D. Erzählen Sie eine andere Geschichte, in der ein Kind eine Überraschung erlebt.

Verwenden Sie einige der folgenden Ausdrücke und Redewendungen:

außer sich	das Spielzeug
sich beklagen	streng sein
besuchen, zu Besuch	sich auf jemanden verlassen
einladen	verzweifelt
etwas einschärfen	weinen
einen Gefallen tun	auf den Zehenspitzen
gehorchen	zornig

AUFGABE 18 ACHTZEHN

Der Reisekaiser

1 Kaiser Wilhelm der Zweite liebte es, Denkmäler zu ent-
2 hüllen und Reisen zu machen. Einige Jahre vor dem ersten
3 Weltkrieg sollte in Köln die Hohenzollernbrücke eingeweiht
4 werden. Auf einem Sockel dieser Brücke war ein Reiterstandbild
5 des Kaisers errichtet worden. Die Einwohner der Stadt sahen
6 dem angekündigten Besuch des Kaisers mit großen Erwartungen
7 entgegen, und am Tag der Einweihung war ganz Köln festlich
8 geschmückt. Der Kaiser kam, enthüllte Brücke und Denkmal,
9 fuhr aber zur großen Enttäuschung der Geschäftswelt am selben
10 Tag wieder fort.
11 Ein paar Tage später wurde frühmorgens die Feuerwehr
12 an die Brücke gerufen. Von einem Brand war nichts zu sehen.
13 Endlich aber entdeckte man einen Reisekoffer in der ausge-
14 streckten Bronzefaust des kaiserlichen Reiters. Wie es dem
15 Witzbold gelungen war, den schweren Koffer dort anzubringen,
16 ist ein ungelöstes Rätsel geblieben.
17 Die Feuerwehr mußte eine mechanische Leiter verwenden,
18 um den Koffer wieder herunterzubringen. Die Geschichte ver-
19 breitete sich aber schnell, und ganz Deutschland lachte über den
20 „Reisekaiser."

WORTSCHATZÜBUNGEN

Bewirkende oder *kausative Verben* sind abgeleitete Verben, die die Handlung des Stammwortes hervorrufen oder veranlassen. Sie können von Substantiven, Adjektiven oder Verben abgeleitet werden, oft unter Änderung des Stammvokals.

A. Substantiv als Stammwort.

Bilden Sie je einen Satz mit den folgenden Verben:

ängstigen, bahnen, bändigen, enden, narren, peinigen, rauchen, räuchern, rosten.

Wie heißt das Kausativum des Wortes „Schweiß"?

B. Adjektiv als Stammwort.

Bilden Sie je einen Satz mit kausativen Verben, die von folgenden Adjektiven abgeleitet sind:

anders, blind, (er)loschen, heiß, kurz, licht, lose, mäßig, offen, rein, satt, voll.

C. Verbum als Stammwort.

Die Stammverben sind gewöhnlich stark und intransitiv, die abgeleiteten kausativen Verben sind fast immer schwach und transitiv.

1. Verwenden Sie zehn der folgenden kausativen Verben in je einem Satz und geben Sie von jedem die Stammform:

beugen, beschwichtigen, drängen, einschläfern, fällen, führen, lähmen, legen, lehren, säugen, schwemmen, schwenken, senken, setzen, stellen, tränken, wecken, wenden.

2. In vielen Fällen hat sich die Bedeutung des abgeleiteten Kausativums verändert, so daß der Sinnzusammenhang heute nicht mehr leicht zu erkennen ist. Verwenden Sie die folgenden Kausativa in Sätzen (Stammformen in Klammern):

ätzen (essen), beizen (beißen), folgern (folgen), rennen (rinnen), schellen (schallen), sprengen (springen), verschwenden (verschwinden).

3. Bei einigen Verben haben das Stammwort und das abgeleitete Kausativum denselben Infinitiv, aber verschiedene Konjugationsformen. Setzen Sie die folgenden Beispiele ins Imperfektum:

Ich erschrecke über die Nachrichten.
Die Nachrichten erschrecken mich.

Der Mantel hängt am Haken.
Er hängt den Mantel an den Haken.

Der Mantel schleift auf dem Boden.
Er schleift das Messer.

Die Segel schwellen im Wind.
Der Wind schwellt die Segel.

Der Pfahl steckt im Boden. (*Starke Form altmodisch*)
Er steckt den Pfahl in den Boden.

Das Kind wiegt zwanzig Kilo.
Die Mutter wiegt das Kind (in der Wiege).

Setzen Sie die folgenden Sätze ins Perfektum:

Die Sonne schmelzt (*oder:* schmilzt) das Eis.
Das Eis schmilzt in der Sonne.

AUFSATZÜBUNG

A. Der Kaiser hält eine Rede, in der er Brücke und Denkmal einweiht.

B. Schreiben Sie einen Zeitungsbericht über diese Geschichte.

C. Der Täter wird von der Polizei verhaftet und legt ein Geständnis ab. Verwenden Sie einige der folgenden Ausdrücke und Redewendungen:

der Berichterstatter	die Menschenmenge
es eilig haben	bei Nacht und Nebel
emporklettern	neugierig
festlich beflaggt	Spalier stehen
eine Festrede halten	der Stadtrat
herbeilaufen	dem Verkehr übergeben

Der Handlanger

1 Friedrich der Große ging einmal eines Abends in seinem
2 Schloß durch den Empfangssaal. Niemand war in dem Saal
3 außer ihm und einem Handwerker, der versuchte, auf einer
4 Leiter zu der Wanduhr emporzusteigen. Die Leiter wollte aber
5 auf dem polierten Fußboden nicht recht stehen bleiben und glitt
6 hin und her. Dem praktischen Sinn des Königs war das leicht
7 erklärlich. Er fragte den Handwerker, was er mache.
8 Dieser antwortete, er sei der Hofuhrmacher und solle die
9 Uhr reparieren. Er wolle sie gerade abnehmen, die Leiter halte
10 aber nicht.
11 Der König befahl dem Arbeiter, wieder hinaufzusteigen; er
12 werde die Leiter selbst halten. Dies geschah auch, und der
13 Handwerker holte die Uhr schnell herunter, nahm sie unter den
14 einen Arm, die Leiter unter den anderen, dankte dem König
15 für seine Hilfe und verschwand.
16 Am nächsten Morgen erhielt Friedrich die Mitteilung, daß
17 die Uhr aus dem Empfangssaal gestohlen worden sei. Nun
18 wußte der König, daß er einem Dieb die Leiter gehalten hatte.
19 Er befahl, man solle den Mann laufen lassen, denn er selbst habe
20 dem Dieb beim Diebstahl geholfen.

WORTSCHATZUBUNGEN

Redewendungen mit Körperteilen.

Das Deutsche gebraucht sehr viele plastische Redewendungen. So werden zum Beispiel viele Körperteile in bildlichen Ausdrücken und Sprichwörtern verwendet. Erklären Sie je fünf der folgenden Redewendungen für jeden Körperteil durch synonyme Umschreibung: (*Beispiel:* Er hat sein Herz in die Hand genommen — **Er hat Mut gefaßt**).

das Auge:

1. Vier Augen sehen mehr als zwei.
2. Das paßt wie die Faust aufs Auge.
3. Wie Schuppen fiel es ihm von den Augen.
4. Das ist mir ein Dorn im Auge.
5. Der Anblick war eine rechte Augenweide.
6. Er ist seinem Vater aus den Augen geschnitten.
7. Zu diesem Kleid brauchen Sie nach Augenmaß vier Meter Stoff.
8. Er ist mit einem blauen Auge davongekommen.

das Bein:

1. Lügen haben kurze Beine.
2. Er schwört Stein und Bein, daß er die Wahrheit gesagt hat.
3. Wir haben uns die Beine in den Leib gestanden.
4. Dir werde ich Beine machen!
5. Er hat sich kein Bein ausgerissen.
6. Ich war den ganzen Tag auf den Beinen.
7. Nimm die Beine unter den Arm (in die Hand)!
8. Es wird spät; wir müssen uns auf die Beine (Socken) machen.

der Finger:

1. Kannst du mir einen Fingerzeig geben?
2. Er macht oft lange (krumme) Finger.
3. Laß die Finger davon!
4. Man muß den Kindern auf die Finger sehen.
5. Das hast du dir aus den Fingern gesogen.
6. Ich will dir diesmal noch durch die Finger sehen.
7. Zu dieser Arbeit braucht man viel Fingerspitzengefühl.
8. Er ist keinen Fingerbreit von seinen Grundsätzen abgewichen.

der Fuß:

1. Der Sträfling wurde auf freien Fuß gesetzt.
2. Er lebt auf großem Fuß.
3. Sie sind wohl heute mit dem linken Fuß aufgestanden?
4. Er kam stehenden Fußes zu mir.
5. Sie leben (stehen) miteinander auf dem Kriegsfuß.
6. Er wehrte sich mit Händen und Füßen dagegen.
7. Der Boden brannte ihm unter den Füßen.
8. Er hat sich die Füße abgerannt, um mir zu helfen.

das Haar:
1. Das ist wirklich an den Haaren herbeigezogen.
2. Sie ließ kein gutes Haar an ihm.
3. Sei vorsichtig—der Mann hat Haare auf den Zähnen.
4. Lassen Sie sich darüber keine grauen Haare wachsen.
5. Die Haare standen mir zu Berg.
6. Sie muß immer ein Haar in der Suppe finden.
7. Er hat es aufs Haar (haargenau) vorausgesagt.
8. Die beiden lagen sich schon lange in den Haaren.

der Hals:
1. Er fiel Hals über Kopf ins Wasser.
2. Dieses Lied hängt (wächst) mir schon zum Hals heraus.
3. Bleib mir damit vom Hals!
4. Ich wünsche Ihnen Hals- und Beinbruch.
5. Sie hat sich ihm an den Hals geworfen.
6. Das Kind schrie aus vollem Hals (schrie sich die Lunge aus dem Hals).
7. Wir haben einer Flasche den Hals gebrochen.
8. Es geht um den Hals.

die Hand:
1. Er trägt seine Frau auf den Händen.
2. Die Arbeit ging flott von der Hand.
3. Im Handumdrehen war alles fertig.
4. Er hält mein Schicksal in der flachen Hand.
5. Das hat weder Hand noch Fuß.
6. Hand aufs Herz!
7. Ich kann doch nicht alles aus dem Handgelenk schütteln!
8. Hast du das wirklich aus freier Hand getan?

AUFSATZÜBUNG

A. Beschreiben Sie das ganze Gespräch zwischen dem König und dem Dieb.

B. Der Dieb erzählt seinen Freunden stolz von seiner Geistesgegenwart.

C. Schreiben Sie einen Zeitungsartikel über den „Diebstahl im königlichen Schloß".

AUFGABE 20 ZWANZIG

Das Preisausschreiben

1 Eine deutsche Zeitschrift veranstaltete einmal einen Wett-
2 bewerb für die beste Antwort auf die folgende Frage:
3 Nehmen wir an, daß drei der berühmtesten Menschen
4 unserer Zeit zu einer Ballonfahrt eingeladen werden. Einer ist
5 ein Naturwissenschaftler, der andere ein hervorragender Chirurg
6 und der dritte ein Künstler von Weltruf; jeder von ihnen ist in
7 seinem Fach anerkannt und wird als unersetzbar betrachtet.
8 Während der Fahrt über den Ozean beginnt der Ballon an
9 Höhe zu verlieren. Obwohl die drei Männer allen Ballast über
10 Bord werfen, gelingt es ihnen nicht, das Niedergehen zu ver-
11 hindern, und es wird ihnen bald klar, daß einer geopfert werden
12 muß. Welcher von den dreien soll das Opfer für die beiden
13 anderen sein?
14 Die meisten Antworten befaßten sich mit dem Problem,
15 welchen Mann die Welt am ehesten entbehren könnte und
16 wessen Tod seinen Mitmenschen den geringsten Nachteil
17 bringen würde. Je nach ihrer einzelnen Einstellung beurteilten
18 die Teilnehmer den Nutzen, den Wissenschaft, Medizin und
19 Kunst für die Allgemeinheit bieten.
20 Aber gewonnen wurde das Preisausschreiben von einem
21 Mann, der einfach vorschlug, man solle denjenigen unter den
22 dreien über Bord werfen, der am meisten wiege.

WORTSCHATZÜBUNGEN

Redewendungen mit Körperteilen (Fortsetzung).

Setzen Sie in je fünf der folgenden Beispiele eine Redewendung oder ein Sprichwort ein, worin der am Anfang stehende Körperteil bildlich gebraucht wird. (*Beispiel:* Er versuchte zu hören, was wir sagten — **Er machte lange Ohren.**)

die Haut:

1. Er ist sehr faul.
2. Wir sind ohne großen Schaden davongekommen.
3. Man kann sich nicht ändern.
4. Ich möchte nicht an deiner Stelle sein.
5. Er ist ein ehrlicher Mensch.
6. Er war fast außer sich vor Zorn.
7. Ich werde mich tapfer verteidigen.
8. Warum willst du dich für andere in Gefahr setzen?

das Herz:

1. Ich will diese Sache gründlich untersuchen.
2. Er kann sich nicht dazu entschließen.
3. Jetzt fühle ich mich viel leichter.
4. Er sagt immer, was er denkt.
5. Wollen Sie mir nicht gestehen, was Sie bedrückt?
6. Ich habe es ihm sehr warm empfohlen.
7. Das freut mich wirklich.
8. Diese Angelegenheit scheint ihm sehr wichtig zu sein.

der Kopf:

1. Er ist wirklich nicht dumm.
2. Ich weiß nicht mehr, woran ich bin.
3. Daran brauchst du nicht mehr zu denken.
4. Er hat immer sehr große Ideen.
5. Du darfst ihn nicht beleidigen.
6. Sein Horizont ist sehr begrenzt.
7. Das Leben steht auf dem Spiel.
8. Verliere nicht den Mut!

das Maul oder **der Mund:**

1. Ein Geschenk soll man nicht kritisieren.
2. Er wartet darauf, daß alles von selbst zu ihm kommt.
3. Sie sprach ganz besonders süß und freundlich zu mir.
4. Sie hat immer eine Antwort bereit.
5. Er scheut sich nicht, die Dinge beim rechten Namen zu nennen.
6. Sie werden einmal das Falsche sagen und es bereuen müssen!
7. Wer früh zu arbeiten beginnt, bringt es weit.
8. Sie hörte jedem Wort, das er sagte, gespannt zu.

die Nase:

1. Wir haben gestern abend sehr viel getrunken.
2. Er war vor Erstaunen starr.
3. Ich habe genug davon.

4. Er hat sich über mich lustig gemacht (hat mich übervorteilt).
5. Kümmere dich um deine eigenen Angelegenheiten!
6. Sie ist sehr hochmütig.
7. Man kann es sofort merken, wenn das Kind etwas angestellt hat.
8. Sei nicht so frech und vorlaut!

das Ohr:

1. Er hat mich betrogen.
2. Wir haben die ganze Nacht durchgebummelt.
3. Merk dir das!
4. Er ist zu Bett gegangen.
5. Er ist ein sehr verschlagener Mensch.
6. Das Konzert war wirklich ein Genuß.
7. Das Kind bekam einen Schlag auf die Backe.
8. Er ist sehr in sie verliebt.

Suchen Sie in Ihrer Lektüre weitere anschauliche Redewendungen mit Körperteilen und aus anderen Gebieten.

AUFSATZÜBUNG

A. Erfinden Sie ein Gespräch im Ballon.

B. Schreiben Sie einen Brief an die Zeitung, in dem Sie Ihre eigene Lösung für das Preisausschreiben vorschlagen.

Grammatische Synopsis

This synopsis does not claim to be complete, but is merely intended as a brief summary of grammatical forms.

I. Limiting Adjectives:

Articles, possessives, demonstratives, **all-, jed-, kein-, manch-, solch-, welch-.**

<table>
<tr><th></th><th>MASC.</th><th>NEUT.</th><th>FEM.</th><th>PL.</th></tr>
<tr><td>NOM.</td><td>dER
diesER
kein—</td><td rowspan="2">daS
diesES
kein—</td><td rowspan="2" colspan="2">diE
diesE
keinE</td></tr>
<tr><td>ACC.</td><td>dEN
diesEN
keinEN</td></tr>
<tr><td>DAT.</td><td colspan="2">dEM
diesEM
keinEM</td><td rowspan="2">dER
diesER
keinER</td><td>dEN
diesEN
keinEN</td></tr>
<tr><td>GEN.</td><td colspan="2">dES
diesES
keinES</td><td></td></tr>
</table>

II. Descriptive Adjectives:

Include indefinite adjectives such as **andere, einige, mehrere, viele, wenige.**

A.: UNINFLECTED:

1. Following the noun which the adjective modifies
2. Completing the predicate of **bleiben, scheinen, sein, werden**

B.: WEAK:

After any inflected limiting adjective

-e: Nom. Sgl., Acc. Sgl. Fem. & Ntr.

-en: All other singulars, all plurals

C.: Strong:

If not preceded by inflected limiting adjective, descriptive adjective takes endings of **dieser** as in table above.
Exception: Gen. Masc. & Ntr. always end in **-en.**

D.: Comparison:

Except for irregular adjectives, (e.g., **gut — besser, viel — mehr,** etc.) comparative adds **-er** to stem, superlative adds **-(e)st;** most one-syllable adjectives have *Umlaut* in comparative and superlative. Inflectional endings are the same as for positive.

Note: Adverbs take no ending in the positive, add **-er** in the comparative, and form the superlative with **am . . . -en.**

III. Pronouns:

A. Personal Pronouns

<table>
<tr><th></th><th></th><th>1st</th><th>2nd</th><th>Refl.</th><th colspan="3">3rd
Masc. Ntr. Fem.</th></tr>
<tr><td></td><td></td><td></td><td></td><td></td><td>Masc.</td><td>Ntr.</td><td>Fem.</td></tr>
<tr><td rowspan="4">Sgl.</td><td>nom.</td><td>ich</td><td>du</td><td>——</td><td>ER</td><td rowspan="2">ES</td><td rowspan="2">siE</td></tr>
<tr><td>acc.</td><td>mich</td><td>dich</td><td rowspan="2">sich</td><td>ihN</td></tr>
<tr><td>dat.</td><td>mir</td><td>dir</td><td colspan="2">ihM</td><td>ihR</td></tr>
<tr><td>gen.</td><td>meiner</td><td>deiner</td><td>——</td><td colspan="2">seiner</td><td>ihrer</td></tr>
<tr><td rowspan="4">Pl.</td><td>nom.</td><td>wir</td><td>ihr</td><td>——</td><td colspan="3" rowspan="2">siE</td></tr>
<tr><td>acc.</td><td rowspan="2">uns</td><td rowspan="2">euch</td><td rowspan="2">sich</td></tr>
<tr><td>dat.</td><td colspan="3">ihnEN</td></tr>
<tr><td>gen.</td><td>unser</td><td>euer</td><td>——</td><td colspan="3">ihrer</td></tr>
</table>

Note: In compounds with **-halben, -wegen, -willen,** Genitive pronouns end in **-et.**

B. Relative Pronouns

	Masc.	Ntr.	Fem.	Pl.
NOM.	dER	daS	diE	
ACC.	dEN			
DAT.	dEM		dER	dENen
GEN.	dESsen		dERen	

Welcher may be used in all cases except genitive

C. Interrogative Pronouns

	Masc. & Fem.	Ntr.
NOM.	wER?	waS?
ACC.	wEN?	
DAT.	wEM?	—— (Replaced by **worin, womit, wozu,** etc.)
GEN.	wESsen?	

Note: **Wer** can be used as a relative pronoun in the sense of *whoever, he who*, etc.

Was can be used as a relative pronoun

1) in the sense of *whatever, that which, what*, etc.
2) referring to an indefinite pronoun
3) referring to a neuter superlative
4) referring to an entire clause or idea.

D. Demonstrative and Possessive Pronouns

Take full declensional endings of limiting adjectives.

Note: **Ein**-words add -ER in Nom. Masc. Sgl., -ES in Nom./Acc. Ntr. Sgl.

Undeclined forms **dies** or **das** are often used in Nom./Acc. Sgl. and Pl.

IV. Nouns:

SINGULAR

	Strong (I-III) MASC. & NTR.	Weak (IV) MASC.	
NOM.	—	—	FEM. nouns take no ending in singular
ACC.	—	(e)n	
DAT.	(e)	(e)n	
GEN.	(e)s	(e)n	

PLURAL

Class I: No ending

Umlaut: Masc. usually; Ntr. never; Fem. always

Contains: 1. Masc. & Ntr. nouns ending in **-el, -en, -er**

NOTE: **Bauer, Gevatter, Hummer, Muskel, Pantoffel, Stachel, Vetter** are mixed (**Bauer** may also be weak); **Buchstabe, Friede, Funke, Gedanke, Glaube, Name, Wille,** drop **-n** in Nom. Sgl.

2. Ntr. nouns with suffix **-chen** or **-lein**
3. Ntr. nouns with prefix **Ge-** and suffix **-e**
4. Two Fem. nouns: **Mutter, Tochter**

Class II: Ending **-e**

Umlaut: Masc. usually; Ntr. never; Fem. when possible

Contains: 1. Most Masc. & Fem. and some Ntr. monosyllabic nouns
2. Masc. nouns ending in **-ich, -icht, -ig, -ing, -is**
3. Most Masc. nouns of foreign origin ending in **-l, -n, -r,** if stress is on last syllable.

4. Fem. nouns ending in **-kunft, -nis, -sal**
5. Ntr. nouns ending in **-nis, -sal**
6. Ntr. nouns with prefix **Be-, Ver-** except for verb infinitives

Class III. Ending **-er**

Umlaut: When possible

Contains:
1. Most monosyllabic Ntr., and some monosyllabic Masc. nouns
2. Masc. & Ntr. nouns with suffix **-tum**
3. No Fem. nouns

Class IV: Ending **-(e)n**

Umlaut: never

Contains:
1. Some monosyllabic and most polysyllabic Fem. nouns
2. Some monosyllabic Masc. nouns
3. Masc. nouns ending in **-e** designating living beings
4. Masc. nouns ending in **-ant, -ent, -ist, -krat** (stress on last syllable)
5. No Ntr. nouns

Class V: *Mixed Nouns*

Strong singular, weak plural

Umlaut: Never

Contains:
1. A few common Masc. & Ntr. nouns, such as **Mast, Nachbar, Schmerz, See, Staat; Auge, Bett, Ende, Insekt, Interesse, Juwel, Ohr.** (**Nachbar** may also be weak)
2. Nouns of Latin origin with suffix **-or, -um** (also **Drama**)
3. No Fem. nouns
4. Nom./Acc. **Herz,** Dat. **Herzen,** Gen. **Herzens**

NOTE: Foreign nouns other than those indicated are irregular.

V. Verbs:

A. Indicative:

Present

Weak & Strong	Modals & **wissen**	Auxiliaries **haben**	**sein**	**werden**
-e	—	habe	bin	werde
-(e)st	(s)t	hast	bist	wirst
-(e)t	—	hat	ist	wird
-en	en	haben	sind	werden
-(e)t	t	habt	seid	werdet
-en	en	haben	sind	werden

Strong verbs change **a** in stem to **ä, e,** to **i** or **ie** in 2nd & 3rd sgl.

Past: Weak & Strong Endings

Endings	
—	weak: stem + **te** + endings
st	
—	strong: stem + *Ablaut* + endings
en	
t	mixed: stem + *Ablaut* + **te** + endings
en	

Past Participle: weak: **ge** + stem + **t**
strong: **ge** + stem + *Ablaut* + **en**
mixed: **ge** + stem + *Ablaut* + **t**

Verbs with inseparable prefix or with suffix **-ieren** do not use **ge-**.

Regular *Ablaut* Series:

	inf.	past	past part.
I	ei	i, ie	i, ie
II	ie	o	o
III	i (*nasal & cons.*)	a	u, o
IV	e (*nasal or liquid*)	a	o
V	e (*other cons.*)	a	e
VI	a	u	a
VII	a, au, ei, o, u	ie	*vowel of infinitive*

PRESENT/PAST PERFECT:

Present/Past tense of **haben** or **sein** plus past participle. **Sein** is used by intransitive verbs denoting motion or change of condition; also **bleiben, gelingen, geschehen,** and **sein** take **sein. Haben** is used for all others.

FUTURE/FUTURE PERFECT:

Present tense of **werden** plus infinitive/past infinitive

B. IMPERATIVE:

1. *Singular:* Infinitive stem plus **-e** (Ending often omitted in colloquial speech, especially for one-syllable verbs). Strong verbs change **e** in stem to **i** or **ie,** omit **-e** ending.
   Irregular imperatives: **sei**! **werde**!
2. *Plural:* 2nd person plural indicative.
   Exception: **seid**!
3. *Formal:* 3rd person plural indicative plus **Sie.**
   Exception: **seien Sie**!

C. PASSIVE:

Appropriate tense of **werden** plus past participle.

NOTE: Present/Past Perfect use helping verb **ist/war . . . worden**

D. SUBJUNCTIVE:

Present: Infinitive stem plus endings -e -en
-est -est (*Exception: ich, er sei*)
-e -en

No vowel change in stem

Past: Weak verbs use past indicative.

Strong and irregular verbs use past indicative, plus *Umlaut* on stem, if possible, plus endings of present subjunctive, if not already there.

Exceptions: A few verbs change past tense vowel (e.g. **befehlen - beföhle; sterben - stürbe**); **brennen, kennen, nennen, rennen, senden, wenden** use **e** in stem.

Compound Tenses: Formed like indicative; only auxiliary verb in subjunctive.

VI. Word Order:

A. REGULAR: Subject, Finite Verb, Object, Adverbial Expressions of Time, Manner, Place, Completion of Predicate

NOTES:

1. Direct pronoun object precedes indirect object; direct noun object follows indirect object.
2. Adverb of time may precede a noun object.
3. **Nicht** functions like an adverb of manner. When it modifies one particular element of the sentence, however, it precedes that element.

   Gern normally also functions like an adverb of manner, but may precede a direct noun object. Adverbial expressions of cause or reason function like expressions of manner.
4. Completion of predicate includes infinitives, past participles, separable prefixes, predicate nouns and adjectives, and certain idiomatic expressions.

B. INVERTED: If a sentence begins with any element other than the subject, the subject follows the verb.

Exceptions:

Coordinating conjunctions (**aber, allein, denn, oder, sondern, und, weder . . . noch**) are followed by regular word order; **also, auch, doch, entweder, jedoch, nur** may be used with regular or inverted word order; **selbst** and **sogar** are considered modifiers of the subject and do not affect word order; neither do appellations (**Fritz, Herr Müller, Mutter**), and expressions like **ja, nein, bitte, danke, ach,** etc.

C. TRANSPOSED: In a dependent clause, the finite verb stands at the end.

Exception: If the dependent clause contains a double infinitive, the finite verb precedes it.

A dependent clause is introduced by

1. a subordinating conjunction
2. a relative pronoun (possibly preceded by a preposition)
3. in indirect questions, **ob** or an interrogative (possibly preceded by a preposition)

NOTE: If the conjunction **daß** is omitted, normal word order is used.

D. VERB FIRST:

1. Questions to which the answer is yes or no.
2. Commands or wishes capable of fulfillment, imperative or present subjunctive.
3. Condition, omitting **wenn** or **ob** in phrase **als ob.**
4. Strong emphasis (Subject usually followed by **ja** or **doch).**

VII. Use of Cases:

A. NOMINATIVE:

1. Subject
2. Predicate (completion of verbs **bleiben, sein, werden)**
3. After **als** and **wie**

B. ACCUSATIVE:

1. Direct Object
2. Object of Preposition
   a. **bis, durch, für, gegen, ohne, um, wider** — always
   b. **an, auf, hinter, in, neben, über, unter, vor, zwischen** — if they indicate destination or motion toward a goal.
3. Definite time

C. DATIVE:

1. Indirect Object
2. Object of Preposition
   a. **aus, außer, bei, mit, nach, seit, von, zu** — always
   b. **an, auf, hinter, in, neben, über, unter, vor, zwischen** — if they indicate location
3. Object of certain Adjectives (*see* Lesson Nine)
4. Object of certain Verbs (*see* Lesson Nine)

D. GENITIVE:

1. Possession
2. Object of Preposition
   (an)statt, außerhalb, diesseits, inmitten, innerhalb, jenseits, oberhalb, trotz, unterhalb, während, wegen, um . . . willen
3. Object of certain Adjectives (*see* Lesson Five)
4. Object of certain Verbs (*see* Lesson Nine)
5. Adverbial Expressions of Indefinite Time

Wörterverzeichnis

Wörterverzeichnis

NOTE

This vocabulary is designed to enable the student to find the answers required by the exercises. Thus, compounds, derivatives, idioms, related words, synonyms, and antonyms are listed under the heading of the key word and cross-indexed as separate alphabetic entries.

The vocabulary is complete, except for starred words from the Morgan-Wadepuhl Minimum Standard German Vocabulary. Even these, however, are listed if they occur in the text in an unusual meaning, within an idiomatic expression, or as the stem for a derived form.

Plural endings (with Umlaut designation, where necessary) are indicated for all nouns. Ablaut patterns for strong verbs are shown by the vowels of the past tense and the past participle, followed by the vowel of the 3rd person singular present, where needed.

The principal abbreviations used are: *acc.:* accusative; *arch.:* archaic; *coll.:* colloquialism; *dat.:* dative; *fig.:* figurative; *gen.:* genitive; *impers.:* impersonal; *insep.:* inseparable; *jmdm.*, *jmdn.:* jemandem, jemanden; *refl.:* reflexive; *reg.:* regular; *sep.:* separable; *syn.:* synonym.

A

ab und zu now and then
abändern alter
abergläubisch superstitious
abfassen compose, draw up
abgeben (a, e; i) deliver, give
abhalten (ie, a; ä) hold (*a meeting*), deliver (*a speech*)
abhängen (von) depend (upon)
  es hängt (alles) davon ab, ob it (all) depends on whether
  abhängig dependent
abklopfen tap, percuss, auscultate
abkürzen abbreviate, abridge
ablegen put away, take off, lay down or aside
  ein Geständnis ablegen make a confession
  eine Prüfung ablegen take an examination
ableiten derive
ablesen (a, e; ie) read off, read
die **Abneigung, -en (gegen)** aversion, disinclination
der **Abschied, -e** departure, farewell
  Abschied nehmen take leave

abschließen (o, o) close, settle
einen Vertrag abschließen sign *or* close an agreement
der **Abschluß, ⁼e** conclusion, end, termination
das Abschlußexam(en), -(ina) final examination
abschwächen diminish
absehbar foreseeable
absetzen remove (*from office*), depose
die **Absicht, -en** intention
absichtlich intentional
abstellen stop, turn off
das **Abteil, -e** compartment
abtreten (a, e; i) withdraw, make one's exit; (*as a command*) dismissed!
abwechseln alternate
abweichen (i, i) deviate
ach oh! alas!
mit Ach und Krach with great difficulty, by the skin of one's teeth
mit Ach und Weh with a lot of complaining
die **Achsel, -n** shoulder
die Achsel zucken shrug one's shoulders
achten regard, esteem
achtlos negligent; (*syn.*) **unachtsam**
die Achtung (auf) attention (to), **(vor)** respect (for)
verachten despise
der **Acker, ⁼** field, soil
der **Advokat, -en** lawyer, attorney; (*syn.*) **(Rechts)anwalt, Jurist**
der **Affe, -n** monkey, ape
die Affenliebe puppy love
die Affenschande (*coll.*) scandal
Maulaffen feilhalten (*coll.*) stand gaping
Afrika Africa
der Afrikaner African
ähneln (*dat.*) resemble
die **Ahnen** ancestors; (*syn.*) **Vorfahren**
alle paar Schritte every few steps
die **Allgemeinheit** general public
alt old
älter older, elderly
steinalt very old
der **Amazonenstrom** Amazon River
Amerika America
der Amerikaner American
der **Amtsschimmel** red tape
anbeten adore
anbieten (o, o) offer
der **Anblick, -e** look, view
der **Anbruch** beginning, opening
andauernd continuing, lasting
ander- other
andererseits on the other hand
ändern change
anders otherwise, differently
die Änderung, -en change
abändern alter
umändern transpose, rearrange
verändern change, transform; (*refl.*) change in appearance *or* manner
andeuten point out, indicate, intimate
anerkennen (a, a) recognize, acknowledge
anfragen inquire
anfüllen fill up
angehen apply to, have to do with
Was geht das mich an? What's that to me?
der **Angeklagte, -n** defendant, accused
der (Rechts)anwalt, ⁼e lawyer, attorney; (*syn.*) **der Advokat, -en; der Jurist, -en**
die **Angelegenheit, -en** affair, matter
der **Angestellte, -n** employee
die **Angst, ⁼e** anxiety, fear
Angst haben be anxious, afraid
um etwas for something
vor etwas (*dat.*) of something
der **Angsthase, -n** coward
ängstigen alarm, distress, worry

ängstlich sein be anxious, uneasy, afraid
der **Anhänger, -** adherent, follower
anklagen accuse
der Angeklagte defendant, accused
des Diebstahls anklagen accuse of theft
ankleiden (*refl.*) dress (oneself)
ankommen (**a, o**) arrive
ankommen (**auf**) depend (upon)
es kommt (**ganz**) **darauf an, ob** it (all) depends on whether
darauf kommt es an that is the point, that is what matters
ankündigen announce, advertise
anlegen plot, lay out (*a garden*); invest (*money*)
die **Anmerkung, -en** observation, note
annehmen (**a, o; i**) suppose, accept, assume
die **Anordnung, -en** arrangement, direction
anschaulich clear, evident, vivid
anschlagen (**u, a; ä**) strike, attack
den ersten Ton anschlagen strike the first note
ansehen (**a, e; ie**) look at
die **Ansprache, -n** address, speech
der **Anspruch, ⸚e** (**auf**) demand, claim
anstecken attach
(*refl.*) catch a contagious disease
sich eine Zigarre anstecken light a cigar
anstellen place, arrange, set in operation, begin, start; do mischief
(*refl.*) behave, pretend; stand in line
die **Anstrengung, -en** exertion, effort
die **Antwort, -en** answer, reply
auf eine Frage antworten answer a question
jmdm. antworten answer somebody
der **Anwalt, ⸚e** lawyer, attorney
die **Anzeige, -n** advertisement, notice
der **Anzug, ⸚e** suit (*of clothes*)
anzünden light (*a fire*)
die **Arbeit, -en** work, job, task
einer Arbeit müde sein be tired of a job
Arbeit leisten do work
arbeiten work
der **Arbeiter, -** worker
arbeitslos unemployed
das Arbeitszimmer, - work room, study
verarbeiten make, manufacture, work with
der **Ärger, -** (**über**) vexation, anger
ärgern annoy, irritate; (*refl.*) become angry
arm poor
arm wie eine Kirchenmaus poor as a churchmouse
ärmlich needy, miserable, pitiful
bettelarm desperately poor
blutarm extremely poor; anemic
der **Aschenbecher, -** ash tray
Asien Asia
der Asiate Asian
atmen breathe
tief atmen breathe deeply
ätzen feed, eat into, etch
auf und ab up and down
aufatmen draw a deep breath
erleichtert aufatmen heave a sigh of relief
aufbrauchen use up, consume
auffahren (**u, a; ä**) jump up, fly up, be startled
die **Auffassung, -en** interpretation, comprehension
auffordern ask, invite
aufgeregt excited
aufhalten (**ie, a; ä**) stop, hold up; (*refl.*) stay
aufhängen hang, hang up
aufheben (**o, o**) pick up, keep

die **Aufmerksamkeit, -en** attention, favor
Aufmerksamkeit schenken pay attention
aufnehmen (a, o; i) take, shoot (*a picture*)
die Aufnahme photograph
aufpassen watch, pay attention
aufpassen wie ein Haftelmacher, wie ein Schießhund watch like a hawk
aufregen excite, stir up
die Aufregung, -en excitement
der **Aufruf, -e** proclamation, appeal
der **Aufsatz, ¨e** composition, essay
die Aufsatzübung, -en composition exercise
aufschlagen (u, a; ä) open
die Augen aufschlagen open one's eyes
aufschreiben (ie, ie) write out, write down
das **Aufsehen** observation, sensation
Aufsehen erregen cause, stir up a sensation
aufsetzen put on, compose, set up, draw up
ein Programm aufsetzen plan a program
der Aufsatz, ¨e composition, essay
aufstehen (a, a) rise, get up
aufstellen set up, put up
eine Bemerkung aufstellen make an observation
auftreten (a, e; i) appear, enter (*on the stage*)
der Auftritt, -e scene, appearance (*in a play*)
aufwachen awake, wake up
aufwecken awaken somebody
der **Aufzug, ¨e** act (*of a play*), procession
das **Auge, -n** eye
Augen wie ein Luchs eyes like a hawk
nach Augenmaß by visual estimate
eine Augenweide a feast for the eyes
jmdm. aus den Augen geschnitten sein be somebody's spitting image
ein blaues Auge a black eye
mit einem blauen Auge davonkommen get away lightly
einem ein Dorn im Auge sein be a thorn in one's side
passen wie die Faust aufs Auge be a square peg in a round hole
wie Schuppen von den Augen fallen begin to see clearly
vier Augen sehen mehr als zwei two heads are better than one
ausbessern mend, repair
ausbilden train, develop
die Ausbildung, -en training, education
ausbreiten spread out
ausdauernd persevering
der **Ausdruck, ¨e** expression
auseinandersetzen explain, set forth, analyze
ausfindig machen seek out, find out, devise
der **Ausflug, ¨e** trip, outing, hike
einen Ausflug machen go on a hike
ausführen effect, carry out, execute, export
ausführbar possible, capable of being effected
ausführlich detailed
die **Ausgabe, -n** edition, publication; expense
ausklopfen knock out
die Pfeife ausklopfen empty a pipe
die **Auskunft, ¨e** information
um Auskunft bitten ask for information
auslassen (ie, a; ä) omit, leave out

die **Ausrede, -n** excuse, pretense
ausrufen (ie, u) proclaim
aussehen (a, e; ie) look, appear
  das **Aussehen** appearance, look
außer sich beside oneself
die **Aussicht, -en (auf)** view, prospect, expectation
aussprechen (a, o; i) pronounce, express
  die Aussprache, -n pronunciation, enunciation, utterance, discussion, debate
  der Ausspruch, ¨-e saying, expression
aussteigen (ie, ie) get out *or* off
Australien Australia
  der Australier, - Australian
ausverkaufen sell out *or* off
  ausverkauft sold out
der **Ausweg, -e** way out (*of a difficulty*)
ausziehen (o, o) take off, move out; (*refl.*) undress
der **Autor, -en** author; (*syn.*) **der Verfasser, -**

B

die **Backe, -n** cheek
backen (u, a; ä) bake
der **Backfisch, -e** teen-age girl
die **Bahn, -en** path, road, railroad
  bahnen make a pathway, prepare the way
  der Bahnhof, ¨-e railway station
die **Ballettratte, -n** ballet dancer, chorus girl
das **Band, ¨-er** ribbon
  der Band, ¨-e volume (*of a book*)
  bändigen restrain, subdue
die **Bank, ¨-e** bench
  -en bank
  die Banknote, -n bill, bank note
der **Bär, -en** bear
  jmdm. einen Bären aufbinden tell a lie, pull somebody's leg
  auf der Bärenhaut liegen laze, loaf around
  brummen growl
  der Brummbär, -en grumbler, sorehead, grouch
barmherzig merciful
bauen build, construct
  der Baumeister, - builder, architect
der **Bauer, -n** farmer, peasant
  die Bauernschlauheit, -en peasant shrewdness
der **Bauer, -** bird cage
baumeln dangle, hang
der **Bausch, ¨-e** (*arch.*) bundle
  in Bausch und Bogen lock, stock, and barrel
der **Beamte, -n** official
beantworten answer
bearbeiten work, till (*land*)
bebauen cultivate (*land*)
der **Bedarf (an)** requirement, demand
bedauern regret
bedenken (a, a) consider, ponder, reflect on
  etwas wohl bedenken consider something carefully
  bedenklich thoughtful, serious; dubious
bedeuten mean
  die Bedeutung, -en meaning
bedienen serve, wait on
die **Bedingung, -en** condition, stipulation
bedrücken distress, oppress
bedürfen (u, u; a) (*gen.*) need, require
  das Bedürfnis, -se (nach) necessity, requirement, need
  bedürftig needy
  der Hilfe bedürftig sein need help
  die Bedürftigkeit neediness

beeindrucken make an impression
beeindruckt impressed
beenden finish, end
befassen (*refl.*) (**mit**) occupy oneself with, engage in, be concerned with
der **Befehl, -e** command, order
zu Befehl! Yes, sir! Very good, sir!
befehlen (a, o; ie) (*dat.*) order, command
befestigen make fast, fasten
befinden (a, u) (*refl.*) feel, be, be located, find oneself
befolgen obey, comply with
befördern advance, promote
befreunden (*refl.*) (**mit**) befriend
die **Begabung, -en** talent
begegnen (*dat.*) meet, encounter
begehen (i, a) commit (*a crime*)
begeistern (*refl.*) (**für**) be enthusiastic
begeistert (von) enthusiastic, inspired
begießen (o, o) water, sprinkle, wet
begossen drenched
begnügen (sich) be satisfied with
begraben (u, a; ä) bury, inter
begrenzen limit
begrenzt limited, narrow
begründen found
behandeln treat, handle
die Behandlung, -en treatment
die Mißhandlung, -en abuse, ill usage
behaupten assert
die Behauptung, -en assertion
beherzt bold, brave
behilflich helpful
die **Behörde, -n** the authorities, bureau, government
der **Beifall** applause
Beifall klatschen applaud
das **Bein, -e** leg
die Beine unter den Arm, in die Hand nehmen hurry
auf den Beinen sein be on the move, be on one's feet
jmdm. Beine machen make somebody move
sich auf die Beine (Socken) machen get going, be on one's way
sich die Beine in den Leib stehen stand still till one is fit to drop
sich kein Bein ausreißen take one's time
Lügen haben kurze Beine lies are soon found out
Stein und Bein schwören swear by all that is holy
beißen (i, i) bite
beißend biting, sharp, caustic
bissig given to biting, rabid; sarcastic
das Gebiß, -sse set of teeth
beistimmen assent to, agree with, concur
beizen corrode, cauterize, etch
bekämpfen combat, oppose, resist
bekannt well-known, familiar
bekannt geben announce, make known
bekannt werden become acquainted
der Bekannte, -n acquaintance
beklagen (*refl.*) complain
bekräftigen strengthen, affirm
beladen (u, a; ä) load, burden
belassen (ie, a; ä) leave as it was, leave alone
belegen (einen Platz) reserve a seat
(eine Vorlesung) register for a course
belegt covered, coated; reserved
ein belegtes Brötchen sandwich
eine belegte Zunge coated tongue
belehren teach (*people*)
beleidigen offend, insult
die **Beleuchtung, -en** light, illumination

beliebt popular
  die Beliebtheit popularity
  sich großer Beliebtheit erfreuen enjoy great popularity
bellen bark
bemächtigen (*refl.*) (*gen.*) seize, overcome
bemerken notice, remark
  bemerkbar noticeable
  bemerkenswert remarkable
  die Bemerkung, -en remark, observation
bemühen (*refl.*) endeavor
benehmen (a, o; i) (*refl.*) behave, conduct oneself
bequem convenient, comfortable
beraten (ie, a; ä) counsel, advise
berauben rob, deprive of
  jmdn. seines Geldes berauben rob somebody of his money
berechnen calculate, estimate, put on account
bereisen travel through
bereitwillig willingly, readily
bereuen repent, regret
der **Berg, -e** mountain
  über Berg und Tal over hill and dale
  das Bergwerk, -e mine
  das Gebirge, - mountain range
der **Bericht, -e** report
  der Berichterstatter, - reporter
der **Beruf, -e** profession, vocation
beschädigen damage, blight
beschäftigen (*refl.*) occupy oneself
beschlagen (u, a; ä) hammer
  Pferde beschlagen shoe horses
beschließen (o, o) decide
beschuldigen accuse of, charge with
  des Mordes beschuldigen accuse of murder
beschweren (*refl.*) complain
  die Beschwerde, -n complaint
beschwichtigen still, soothe
  schweigen (ie, ie) be silent, be quiet
beschwören (o, o) affirm, testify under oath, swear to
besetzen occupy (*a seat, a country*)
besinnen (a, o) (*refl.*) recollect, remember, deliberate, ponder; change one's mind
besonders especially
besorgen provide for, manage, buy
  besorgt anxious
  die Besorgung, -en care, management; purchase
  Besorgungen machen go shopping
bessern (*refl., acc.*) improve
bestärken confirm, support
bestätigen affirm
bestehen (a, a) be, exist
  (auf) insist (upon)
  (aus) consist (of)
  eine Prüfung bestehen pass a test
besteigen (ie, ie) climb up
bestellen order
  Karten bestellen order tickets
bestimmt definite, fixed, certain
  zu etwas bestimmt sein be headed, destined for something
bestreiten (i, i) contest, oppose, deny
der **Besuch, -e** visit, call
  zu Besuch on a visit
  besuchen visit
beteiligen (*refl.*) **(an)** take part in, participate
beten pray
beteuern assert (*the truth of*), swear to
der **Betracht** consideration
  in Betracht ziehen take into consideration
  betrachten view, consider
betreten (a, e; i) set foot on, enter
der **Betrieb, -e** factory
betrüben trouble, grieve
der **Betrug** deceit, fraud

betrügen (o, o) cheat, deceive
  der Betrüger, - cheat, swindler, impostor
betteln (um) beg (for)
  bettelarm desperately poor
  der Bettler, - beggar
beugen bend, bow, flex (*knees*)
  biegen (o, o) bend, curve, turn
beurteilen judge, evaluate
bevorzugen favor, privilege
beweisen (ie, ie) prove, demonstrate
  der Beweis, -e proof
  das Beweismaterial, -ien proof, evidence
bewundern admire
  der Bewunderer, - admirer
bewußt known, conscious, aware
  sich keines Fehlers bewußt sein be conscious of no mistake
  bewußtlos unconscious; (*syn.*) **ohnmächtig**
  unbewußt unaware, subconscious
bezahlen pay
bezeichnen designate, indicate
beziehen (o, o) (*refl.*) **(auf)** refer to
bezweifeln doubt
biegen (o, o) bend, curve, turn
die **Biene, -n** bee
  summen buzz
das **Bier, -e** beer
  der Brauer, - brewer
bieten (o, o) bid, offer
das **Bild, -er** picture
  bilden form, make, shape; educate
  der Bildhauer, - sculptor
  bildlich figurative, metaphorical
  bildschön very lovely, extremely beautiful
  die Bildung education, culture
  gebildet educated, cultured
billig cheap; fitting, proper
  recht und billig right and proper
  spottbillig ridiculously cheap

binden (a, u) bind
  einen Knoten binden tie a knot
  verbinden (a, u) unite, connect, pledge
bissig given to biting, rabid; sarcastic
bitten (a, e) (um) ask (for)
  ich bitte gehorsamst I request most respectfully
blaß pale
das **Blatt, ⁼er** leaf, sheet
  vom Blatt ablesen read off, read at sight
blau blue
  blaues Auge black eye
  blauen Dunst vormachen tell lies
  blau machen take a day off
  blau sein be tipsy
  sein blaues Wunder erleben (sehen) be struck dumb, be surprised
  mit einem blauen Auge davonkommen get off easy
  stahlblau steel blue
  veilchenblau violet
das **Blei** lead
  bleischwer heavy as lead
der **Blick, -e** look, glance
  einen Blick werfen cast a glance
blind blind
  blenden blind, make blind
der **Blitz, -e** lightning
  wie ein geölter Blitz like greased lightning
  der Blitz zuckt lightning flashes
  blitzen flash
  blitzschnell with lightning speed
blöd(e) stupid
blöken bleat
  das Schaf, -e sheep
das **Blut** blood
  blutarm poor as a churchmouse; anemic
  blutjung very young
  blutrot blood red

der **Bock, ¨e** ram, buck, billy goat
 einen Bock schießen make a slip *or* a blunder
 den Bock zum Gärtner machen set the fox to keep the geese
 bockig sein be obstinate
 ins Bockshorn jagen intimidate, scare
 sich die Hörner ablaufen sow one's wild oats
der **Brand, ¨e** burning, fire, conflagration
der **Brauch, ¨e** use, usage, custom
 brauchen need, use
 aufbrauchen use up
 gebrauchen use
 verbrauchen consume, waste, spend
braun brown
 braun und blau schlagen beat black and blue
 kaffeebraun coffee-colored
 kastanienbraun chestnut, maroon
 rotbraun reddish brown, russet
breit wide, broad
 ausbreiten spread out
 verbreiten spread, circulate
 verbreitern broaden, widen
Bremen Bremen
 der Bremer, - inhabitant of Bremen
brennen (a, a) burn
 brennen wie Stroh burn like straw
der **Brief, -e** letter
 der Briefkasten, ¨ mailbox
 die Brieftasche, -n pocket book, wallet
 der Briefträger, - mailman, postman
bringen (a, a) bring
 es weit bringen succeed in something, go far
 verbringen (a, a) spend (*time*)
das **Brot, -e** bread
 der Bäcker, - baker
der **Bruch, ¨e** break, breach, fracture
brüllen (*coll.*) roar, bellow
 brüllen wie am Spieß, wie ein Stier squeal like a stuck pig, bellow like an ox
brummen growl, grumble
 der Brummbär, -en grumbler, growler
das **Buch, ¨er** book
 sprechen wie ein Buch talk bookishly
 der Schriftsteller, - author, writer; (*syn.*) **der Autor, -en, der Verfasser, -**
 der Dichter, - poet
der **Buchstabe, -n** letter (*of the alphabet*)
 buchstäblich literal
 auf den Buchstaben to the letter, exactly
bücken (*refl.*) (*acc.*) bend, stoop
büffeln (*coll.*) cram
die **Bühne, -** stage, theater
die **Bundeswehr** army of the German Federal Republic
das **Büro, -s** office
das **Butterbrot, -e** (slice of) bread and butter

C

China China
 der Chinese, -n Chinese
der **Chirurg, -en** surgeon

D

dabeibleiben (ie, ie) remain (to the end); stick to one's guns
das **Dach, ¨er** roof
 unter Dach und Fach under cover, safe
der **Dachs, -e** badger
 der Frechdachs smart aleck, impertinent fellow
der **Dampf, ¨e** steam, vapor

dampfen steam, smoke
Dänemark Denmark
der Däne, -n Dane
der **Dank** thanks, gratitude
dankbar grateful
die Dankbarkeit gratitude
danke thanks
danken (*dat.*) thank
der Undank ingratitude
dann then
dann und wann now and then
daraufhin thereupon
darlegen state, demonstrate
darunter under there, under it
drunter und drüber in confusion
die **Dauer** duration, length, continuance
dauerhaft durable, permanent
dauern take (*time*), last
andauernd continuing, lasting
ausdauernd persevering
deklamieren declaim
denken (a, a) (an) think (of)
(über) about
(von) have an opinion,
(*refl.*, *dat.*) imagine
das Denkmal, ⁻er monument
das Gedächtnis memory
der Gedanke, -n thought
deutlich clear
deutsch German
der Deutsche, -n German
Deutschland Germany
eindeutschen give (*a foreign word*) a German appearance; Germanize
verdeutschen translate into German
der **Dichter, -** poet, writer
dichten write poetry
dick thick, heavy, fat
der **Dieb, -e** thief
der Diebstahl, ⁻e theft, robbery
dienen (*dat.*) serve, wait on
der Dienst, -e service, employment
dienstunfähig incapable of *or* unfit for duty
verdienen earn, deserve
dirigieren direct, lead, conduct
doch still, however, surely
der **Donner** thunder
der **Dorn, -en** thorn
ein Dorn im Auge a thorn in one's flesh
der **Drache, -n** dragon
der Hausdrache, -n shrew, vixen, domineering woman
der **Dragoner, -** dragoon
fluchen wie ein Dragoner swear like a trooper
drängen press, crowd
dringen (a, u) press forward, penetrate, pierce; insist
drehen turn
einen Film drehen "shoot" a film
der **Drescher, -** thrasher
essen (fressen) wie ein (Scheunen) drescher (*coll.*) eat like a horse
drohen (*dat.*) threaten
die Drohung, -en threat, menace
der **Drückeberger, -** shirker, dodger
drucken print
lügen wie gedruckt lie through one's teeth
drunter und drüber in confusion
dumm stupid
die Dummheit, -en stupidity, something stupid
strohdumm very stupid
dunkel dark
dünken (*arch.*) seem, appear; (*refl.*, *acc.*) imagine oneself
dünn thin
dünn wie ein Rohr as thin as a (bean)pole
durchbummeln waste, dawdle away, carouse

durchdringen (a, u) (*sep.*) prevail, succeed, push through, penetrate; (*insep.*) pierce, permeate, be convinced, be filled
durchfahren (u, a; ä) (*sep.*) drive through, pass through; (*insep.*) rush through, go through (*fig.*)
durchfallen (ie, a; ä) fail
  bei einer Prüfung durchfallen fail an examination
die **Durchlaucht** Highness (*title*)
durchschauen (*insep.*) see through; (*fig.*) understand, look something through; (*sep.*) look through
durchschneiden (i, i) (*sep. or insep.*) cut through
durchsuchen search

E

efeubewachsen ivy-grown, ivy-clad
ehe before
  eher rather, sooner
  am ehesten most easily, most nearly
die **Ehre, -n** honor
  die Ehrfurcht (vor) respect, awe
  ehrlich honest
  die Ehrlichkeit honesty
der **Eid, -e** oath
  der Meineid, -e false oath, perjury
die **Eifersucht (auf)** jealousy
der **Eigenname, -n** proper name
die **Eigenschaft, -en** quality, attribute
eilig hurriedly, quickly
  es eilig haben be in a hurry
der **Eimer, -** bucket
  regnen wie mit Eimern rain buckets, rain pitchforks
ein one, a
  die Einheit, -en unit, unity, oneness
  die Einheitlichkeit uniformity
  einig united, in agreement
  die Einigung, -en agreement
  einsam lonely
  einzeln single
  einzig only, unique
  die Vereinigung unification
eindeutschen give (*a foreign word*) a German appearance; Germanize
eindringen (a, u) enter into, penetrate
der **Eindruck, ¨e** impression
einfach simple
eingehen (i, a) go in; shrink
  (auf eine Sache) agree to a thing, go into something
  (eine Wette) make a bet
  eingehend searching, exhaustive, detailed
eingestehen confess, admit
einig united
  sich einigen agree
  die Einigung, -en agreement
der **Einkauf, ¨e** purchase
  Einkäufe machen go shopping
einkehren turn in at, put up at, stop at
einladen (u, a; ä) invite
einliefern deliver, hand over
  ins Krankenhaus einliefern bring to the hospital
einreichen hand in, submit
  die Einreichung, -en petition
einsam lonely
einschärfen (jmdm. etwas) impress (*something on somebody*)
einschlafen (ie, a; ä) fall asleep
  einschläfern lull to sleep
einsehen (a, e; ie) perceive, comprehend, realize
einsetzen insert, put in, place; appoint (*to an office*)
einstellen adjust, put in, put into the ranks, hire; stop
  die Einstellung, -en attitude
einträchtig harmonious
einträglich profitable
eintreten (a, e; i) enter, step in

einverstanden agreed
einweihen dedicate
  die Einweihung dedication
einwenden (a, a) object to, challenge, oppose, counter
einwerfen (a, o; i) throw in, object
der **Einwohner, -** inhabitant, native
die **Einzahl** singular
einzeln single
einzig only, unique
eitel vain, conceited
  eitel wie ein Pfau vain as a peacock
die **Elster, -n** magpie
  stehlen wie eine Elster steal like a gypsy
der **Empfangssaal, -säle** drawing room, reception room
empfehlen (a, o; ie) recommend
emporklettern climb up
  empört indignant
  die Empörung, -en (gegen) revolt (**über**) indignation
England England
  der Engländer Englishman
der **Enkel, -** grandson, grandchild
  die Enkelin, -nen granddaughter
entbehren do without, dispense with
entbrennen (a, a) take fire
entdecken discover, disclose
entehren dishonor
entfallen (ie, a; ä) fall out of, forget
entfärben discolor
entführen abduct, kidnap
entgegen towards, contrary to
entgegnen (*dat.*) rejoin, reply, retort
enthaupten behead
enthüllen disclose, reveal, unveil
entlassen (ie, a; ä) dismiss, let go
entlaufen (ie, au; äu) run away, escape
entnehmen (a, o; i) take away, free from
entrüstet angry, enraged
entsagen (*dat.*) renounce, disclaim
entschlummern fall asleep; die
das **Entsetzen** fright, horror
entsprechen (a, o; i) correspond to, agree with
entstehen (a, a) arise, originate
die **Enttäuschung, -en** disappointment
entwaffnen disarm
entwerfen (a, o; i) draw up, plan
entwickeln develop
entzünden kindle, inflame
  die Entzündung inflammation
erbarmen (*refl. acc. with gen.*) have mercy, be merciful
  erbarmungslos merciless; (*syn.*) **unbarmherzig**
der **Erbe, -n** heir
  das Erbe inheritance
  die Erbschaft, -en inheritance
erbetteln gain by begging, beg for
die **Erbse, -n** pea
  die Erbsensuppe, -n pea soup
erdrückend overwhelming
erfinden (a, u) invent, contrive
erfolgreich successful
erfordern require, demand
erfragen attain by asking
erfreuen (*refl. acc. with gen.*) enjoy
  sich großer Beliebtheit erfreuen enjoy great popularity
erfüllen fulfill
  die Erfüllung fulfillment
ergänzen complete, supplement
ergeben (a, e; i) result; (*refl. acc.*) surrender, resign oneself
  das Ergebnis, -se result, outcome
erhalten (ie, a; ä) receive, obtain
erhitzt heated, flushed, warm
erhöhen heighten, raise
  auf etwas to something
  um etwas by something
erholen (*refl. acc.*) recover (*from illness*), rest, recover

die **Erholung** recovery, rest, recreation
erinnern (*refl., acc.*) **(an)** remember
die **Erkältung, -en** cold (*sickness*)
sich eine Erkältung holen, sich erkälten catch cold
erkämpfen gain by fighting
erkennen (a, a) (an) recognize
erkennbar recognizable
erkenntlich grateful
erklären declare, explain
erklärlich explainable, understandable
erklettern climb up
erkundigen (*refl. acc.*) **(nach)** inquire (about)
erlangen reach, gain
erleben live through, experience
erledigen settle, take care of
erleichtern ease, facilitate, relieve
erloschen extinguished, extinct
löschen extinguish, put out (*a fire*)
ermahnen admonish, exhort, remind
ermangeln lack, want, need
ermäßigen reduce, lower
ernennen (a, a) nominate, appoint
erneut once again
die **Ernte, -n** harvest, crop
die Fehlernte, die Mißernte, -n bad harvest, crop failure
eröffnen open, initiate, start
erraten (ie, a; ä) guess (correctly)
erregen stir up, excite
erreichen reach, attain, arrive at
errichten erect
erröten blush
erscheinen (ie, ie) appear, come out, come into view
erschießen (o, o) win by shooting, kill by shooting
erschlagen (u, a; ä) strike dead, beat to death
erschrecken (*reg.*) startle, frighten **(a, o; i)** be alarmed, get startled
ersetzen replace
das **Erstaunen** astonishment
ersteigen (ie, ie) ascend
erstreben strive for
erteilen impart
ertragen (u, a; ä) bear, endure
erträglich bearable, endurable
ertragreich productive
ertrinken (a, u) drown
erwachen awaken
der **Erwachsene, -n** adult
erwarten await, expect
die Erwartung, -en expectation
erweitern expand
die Erweiterung, -en expansion
erwidern reply, answer
die **Espe, -n** aspen tree
zittern wie Espenlaub tremble like a leaf
essen (a, e; i) eat
essen (fressen) wie ein (Scheunen) drescher (*coll.*) eat like a horse
das Essen meal
das Essen kochen, zubereiten cook, prepare a meal
Europa Europe
der Europäer, - European
ewig eternal
die Ewigkeit, -en eternity

F

fähig capable of, able
keines schlechten Gedankens fähig sein be incapable of an evil thought
fahren (u, a; ä) travel, drive, ride
die Fahrkarte, -n ticket
die Fahrt, -en ride, journey, drive
der Gefährte, -n travelling companion
der Schaffner, - conductor

der **Fall, ⁼e** case
fallen (ie, a; ä) fall
  fällen fell
  ein Urteil fällen pass judgment, pronounce sentence
  der Richter, - judge
falsch false, untrue, counterfeit
  fälschen forge
  verfälschen adulterate
die **Familie, -n** family
  Familienverhältnisse family relationships
das **Faß, ⁼er** barrel
  regnen (gießen) wie aus Fässern rain buckets, rain pitchforks
fassen grasp, seize; conceive
  einen Plan fassen conceive a plan
  die Fassung, -en composure
  sich aus der Fassung bringen lassen lose one's composure, be disconcerted
fasziniert (von) fascinated (by)
fauchen hiss
faul lazy, idle
  die Faulheit laziness, idleness
die **Faust, ⁼e** fist
  passen wie die Faust aufs Auge be a square peg in a round hole
fechten (o, o; i) fight, fence
  fechten gehen (*coll.*) go begging
fehlen miss, be lacking, ail
  Was fehlt Ihnen? What's the matter with you? What's wrong?
der **Fehler, -** mistake, error
  sich keines Fehlers bewußt sein be aware of no mistake
  die Fehlerquelle, -n source of error or accident
die **Feier, -n** celebration
  eine Feier veranstalten arrange a celebration
  feiern celebrate
der **Feind, -e** enemy
  feindlich hostile
das **Feld, -er** field
  feldgrau field-gray (*color of German uniform*)
der **Fels(en), -en** rock
  felsenfest firm as a rock
die **Ferien** (*pl.*) vacation, holidays
  die Ferienstimmung, -en holiday mood
das **Fest, -e** festival, holiday, party
  ein Fest geben give a banquet *or* party
  ein Fest feiern celebrate a holiday
  festlich festive
  festlich beflaggt festively decorated with flags
  die Festlichkeit, -en festivity
  eine Festrede halten make an official speech
fest firm
  die Festigkeit firmness
  festlegen (*refl. acc.*) **(auf)** insist on, commit oneself to something
  festsetzen (*refl. acc.*) settle
  feststellen establish, ascertain
  felsenfest firm as a rock
das **Feuer, -** fire, light
  ein Feuer anzünden kindle, light a fire
  feuerrot fiery red
  die Feuerwehr fire department
  das Feuerzeug, -e lighter
der **Film, -e** film
  einen Film aufnehmen take a picture
  einen Film drehen "shoot" a film
der **Finger, -** finger
  lange (krumme) Finger machen be light-fingered, be a thief
  sich etwas aus den Fingern saugen invent, fabricate, make up
  die Finger davon lassen keep one's fingers off

jmdm. auf die Finger sehen keep an eye on somebody
jmdm. durch die Finger sehen close an eye, turn a blind eye
ein Fingerbreit a hair's breadth
das Fingerspitzengefühl, -e tact, finesse
der Fingerzeig, -e hint
der **Fink, -en** finch
der Schmutzfink, -en (*coll.*) dirty fellow
der **Fisch, -e** fish
gesund wie ein Fisch im Wasser sound as a bell, fit as a fiddle
weder Fisch noch Fleisch neither fish nor fowl
der Backfisch, -e teen-age girl
die **Flasche, -n** bottle
einer Flasche den Hals brechen open a bottle
flechten (o, o; i) braid, weave
einen Kranz flechten make a garland, a wreath
der **Flegel, -** insolent fellow
die Flegelei, -en insolence, rudeness
das **Fleisch** flesh, meat
der Fleischer, - butcher; (*syn.*) **der Metzger, -, der Schlächter, -**
der **Fleiß** diligence
fleißig diligent, industrious
flektieren inflect, decline
der **Floh, ¨-e** flea
jmdm. einen Floh ins Ohr setzen put ideas into somebody's head, put a bug into someone's ear
die Flöhe husten hören hear the grass grow
lieber einen Sack Flöhe hüten rather do anything else
fluchen (*dat.*) curse
fluchen wie ein Dragoner swear like a trooper
der **Flügel, -** wing; grand piano
das **Flugzeug, -e** airplane
der **Flur, -e** hallway, corridor
die Flur, -en field, plain
flüstern whisper
die **Folge, -n** consequence
folgen (*dat.*) follow, obey
(aus) result from
folgern infer, conclude
fordern require
der **Formbau** form, style
der **Forscher, -** researcher, scholar, explorer
die Forschung, -en research, investigation
fortfahren (u, a; ä) continue
fortsetzen continue
die Fortsetzung, -en continuation
Fortsetzung folgt to be continued
die **Frage, -n** question
eine Frage stellen ask a question
der Fragebogen, ¨- questionnaire
fragen (nach, wegen) ask, inquire (after, about)
frank frank
frank und frei frankly and freely, openly
Frankreich France
der Franzose, -n Frenchman
frech impudent, insolent
der Frechdachs, -e impudent fellow, smart aleck
die Frechheit, -en impudence, insolence, impertinence
frei free
die Freigebigkeit, -en generosity
die Freiheit, -en freedom
die Freizeit, -en leisure time
die **Fremdsprache, -n** foreign language
fremdsprachig in a foreign language
fremdsprachlich concerning foreign languages
fressen (a, e; i) eat (*of animals*), devour

fressen wie ein (Scheunen)drescher (*coll.*) eat like a horse
die **Freude, -n (an)** joy, delight, pleasure
freuen (*refl. acc.*) **(auf)** look forward to, anticipate
(über) rejoice, be glad
sich freuen wie ein Schneekönig as happy as a lark
der **Friede(n), -n** peace
friedlich peaceful
friedliebend peace-loving
fristlos without notice, at once
fromm pious, devout
die Frömmigkeit piety, devoutness
der **Frosch, ⁼e** frog
quaken croak
fruchtbar fertile, fruitful
die Fruchtbarkeit fertility, fruitfulness
der **Fuchs, ⁼e** fox
fuchsteufelswild exceedingly angry
der Schlaufuchs, ⁼e sly fellow
fügen (*refl. acc.*) accommodate oneself, resign oneself, submit
fühlen feel, sense, perceive
führen lead, guide
fahren (u, a; ä) drive, ride, travel
verführen mislead, seduce
füllen fill; **erfüllen** fulfill
das **Füllwort, ⁼er** expletive, particle, intensifier
funkelnagelneu brand new
die **Furcht (vor)** fear (of)
furchtbar frightful, dreadful
fürchten fear; (*refl. acc.*) **(vor,** *dat.***)** fear
furchtsam timid, fearful
der **Fuß, ⁼e** foot
sich die Füße abrennen run one's legs off
auf freien Fuß setzen set free
auf großem Fuß leben live in grand style, beyond one's means
mit dem linken Fuß zuerst aufstehen get out of bed on the wrong side
stehenden Fußes immediately
der Boden brennt ihm unter den Füßen things are getting too hot for him
sich mit Händen und Füßen wehren fight something tooth and nail
auf dem Kriegsfuß leben be at daggers drawn, on the warpath

G

gackern cackle
das Huhn, ⁼er chicken
der **Galgen, -** gallows
der Galgenvogel, ⁼ criminal, jailbird
der **Gang, ⁼e** corridor, passage; stride, gait
die **Gans, ⁼e** goose
Gänsefüßchen quotation marks
die Gänsehaut goose pimples
schnattern cackle
ganz entirely, completely, quite
ganz und gar totally, absolutely
der **Garten, ⁼** garden
einen Garten anlegen, bebauen start, cultivate a garden
der Gärtner, - gardener
den Bock zum Gärtner machen set the fox to keep the geese
der **Gast, ⁼e** guest
das Gasthaus, ⁼er inn, tavern
der Kellner, - waiter
der Wirt, -e innkeeper, host
der **Gatte, -n** husband, mate, marriage partner
die Gattin, -nen wife
der **Gauner, -** rogue, swindler

gebären (**a, o; ie**) give birth
  geboren born
  der Geburtstag, -e birthday
geben (**a, e; i**) give
  vergeben (**a, e; i**) give away, forgive
das **Gebiet, -e** territory, sphere, area, field
das **Gebirge, -** mountain range
  der Berg, -e mountain
das **Gebiß, -e** set of teeth
  beißen (**i, i**) bite
der **Gebrauch, ⸚e** use, custom
  gebrauchen use
  gebräuchlich customary
  der Mißbrauch, ⸚e misuse, abuse
die **Geburt, -en** birth
  der Geburtstag, -e birthday
  das Geburtstagsgeschenk, -e birthday present
das **Gedächtnis, -se** memory
  denken (**a, a**) think
der **Gedanke, -n** thought
  keines schlechten Gedankens fähig sein be incapable of an evil thought
  denken (**a, a**) think
gedenken (**a, a**) (*gen.*) bear in mind, intend, remember
gedruckt printed
  lügen wie gedruckt lie through one's teeth
die **Geduld** patience
  jmdm. reißt die Geduld somebody loses his patience
die **Gefahr, -en** danger, risk
  gefährlich dangerous
  gefahrlos safe; (*syn.*) **ungefährlich**
der **Gefährte, -n** travelling companion
der **Gefallen, -** favor, kindness
  um einen Gefallen bitten ask a favor
das **Gefühl, -e** feeling, sensation
gegen towards, against, opposite to, compared with
  der Gegensatz, ⸚e contrast
  der Gegenstand, ⸚e object, subject
  das Gegenstück, -e counterpart, companion piece
  das Gegenteil, -e opposite, contrary
  die Gegenwart presence, present tense
das **Gehalt, ⸚er** salary
das **Gehäuse, -** box, case, container
geheim secret
  das Geheimnis, -se secret
  das Heim, -e home
der **Gehilfe, -n** assistant
  helfen (**a, o; i**) help
das **Gehör** sense of hearing
  nach Gehör spielen play by ear
gehorchen (*dat.*) obey
  gehorsam obedient
  gehorsamst bitten request most respectfully
gehören (*dat.*) belong; (*impers. refl.*) be suitable *or* proper
die **Geige, -n** violin
  der Geigenkünstler, - violinist, violin virtuoso
der **Geist, -er** spirit, soul, mind, intellect, ghost
  geistesabwesend absent-minded
  die Geistesgegenwart presence of mind
  geistig mental, intellectual
  geistlich spiritual, religious, clerical
der **Geiz** avarice, greediness
  der Geizhals, ⸚e miser, skinflint
  geizig avaricious, miserly, covetous
gelassen calm
gelb yellow
  gelb vor Neid green with envy
  der Gelbschnabel, ⸚ greenhorn
  goldgelb golden yellow
  zitronengelb lemon-colored

das **Geld, -er** money
geldgierig avaricious, greedy
die **Gelegenheit, -en** opportunity
gelehrig studious
gelehrt learned
der Gelehrte, -n scholar
geliebt beloved
der Geliebte, -n lover
gelingen (a, u) (*impers.*, *dat.*) succeed
gemein common, general, familiar, vulgar, coarse
die Gemeinde, -n community, congregation
die Gemeinheit, -en vulgarity, meanness, mean trick
gemeinsam combined, joint, mutual
die Gemeinsamkeit, -en common possession, mutuality
die Gemeinschaft community, society
das **Gemüse, -** vegetable
gemütlich comfortable, cozy, good-natured, agreeable, pleasant
die Gemütlichkeit, -en good nature, geniality, cordiality
genau exact
die Genauigkeit, -en exactness, precision
haargenau very exact
der **Genosse, -n** comrade
der **Genuß, ⸗e** pleasure
das **Gepäck, -stücke** luggage, baggage
gerade straight, direct, upright, just
kerzengerade straight as a ramrod
pfeilgerade straight as an arrow
geraten (ie, a; ä) get into, fall into
das **Geräusch, -e** noise
die **Gerechtigkeit** justice
das **Gerede** talk, gossip
ins Gerede kommen get talked about
das **Gericht, -e** court of law
die Gerichtsverhandlung, -en trial
der Advokat, -en; der Jurist, -en; der (Rechts)anwalt, ⸗e lawyer, attorney
der Richter, - judge
das **Gerippe, -** skeleton
die Rippe, -n rib
das **Gerücht, -e** rumor
die **Gesamtheit** collectivity
der **Gesandte, -n** ambassador
der **Gesang, ⸗e** singing, song
singen (a, u) sing
das **Geschäft, -e** business, employment
geschäftig busy, active, officious
geschäftlich commercial, relative to business
das **Geschenk, -e** present, gift
das **Geschlecht, -er** gender (*gram.*), sex
die **Geschwister** brother(s) and sister(s)
der **Geselle, -n** journeyman, assistant
der Saal, die Säle hall
die **Gesellschaft, -en** company, firm, society
das **Gesetz, -e** law, statute
das **Gesicht, -er** face
sehen (a, e; ie) see
gespannt intently, eager
das **Gespräch, -e** conversation
sprechen (a, o; i) speak
die **Gestalt, -en** form, shape, figure
die Mißgestalt, -en monster, deformity
gestehen (a, a) confess, admit
das Geständnis, -se confession
ein Geständnis ablegen make a confession
das **Gesuch, -e** petition
gesund healthy
die Gesundheit health
das **Getreide, -** grain
tragen (u, a; ä) carry
das **Gewicht, -e** weight
wiegen (o, o) weigh

der **Gewinn, -e** gain, earnings, profit
gewiß certain
  des Erfolges gewiß sein be sure of success
das **Gewissen, -** conscience
  wissen (u, u; ei) know
das **Gewitter, -** thunderstorm
  das Wetter weather
gewöhnen (*refl. acc.*) **(an)** become accustomed to
  die Gewohnheit, -en habit, custom
  wohnen live, dwell
gießen (o, o) pour
  in Strömen gießen rain cats and dogs
  gießen wie aus Fässern, wie mit Eimern rain buckets, rain pitchforks
das **Gift, -e** poison
  Gift und Galle venom and gall, vehemently
  giftgrün kelly-green
der **Gips, -e** plaster of Paris
  der Gipsverband, ⸚e plaster cast
glänzen shine, gleam
  glänzend splendid, brilliant
das **Glas, ⸚er** glass
  der Glasbläser, - glass blower
  der Glaser, - glazier
glauben believe
  glaubwürdig believable, worthy of belief
gleichen (i, i) (*dat.*) resemble
gleichgültig indifferent, immaterial
die **Gleichzeitigkeit** simultaneity, simultaneousness
gleiten (i, i) slide, glide
die **Gnade, -n** mercy, favor, grace
  Gnade für (vor) Recht ergehen lassen show mercy
  Euer Gnaden Your Grace
  das Gnadengesuch, -e plea for mercy

das **Gold** gold
  goldgelb golden yellow
der **Gott, ⸚er** God
  der Abgott, ⸚er idol
das **Grab, ⸚er** grave
  ein Grab schaufeln dig a grave
  graben (u, a; ä) dig
  der Graben, ⸚ ditch
  einen Graben ziehen dig a ditch
  die Grube, -n pit, mine
    eine Grube graben dig a pit
der **Grad, -e** degree
das **Gramm, -e** gram
das **Gras, ⸚er** grass
  grasgrün grass green
gratulieren (*dat.*) congratulate
grau gray
  aschgrau ash-gray
  feldgrau field-gray (*color of German uniform*)
  steingrau stone-gray
  der graue Alltag drab daily routine
  das graue Elend (*coll.*) hangover
  sich keine grauen Haare wachsen lassen lose no sleep about something
  vor grauen Zeiten in the distant past
greifen (i, i) (nach) reach (for)
  begreifen (i, i) comprehend
  ergreifen (i, i) seize, grasp
die **Grenze, -n** limit, boundary
  grenzenlos limitless, unlimited; (*syn.*) **unbegrenzt**
Griechenland Greece
  der Grieche, -n Greek
die **Grille, -n** cricket; (*fig.*) whim
  zirpen chirp
die **Grimasse, -n** grimace
  eine Grimasse schneiden make a face
der **Groll (gegen)** ill will, hatred
der **Groschen, -** small coin
groß great, large
  die Großeltern grandparents

grün green
dasselbe in grün almost the same thing
jmdm. nicht grün sein be ill disposed toward someone
der grüne Heinrich (*coll.*) police van, "black Maria," paddy wagon
über den grünen Klee loben praise to the sky
meine grüne Seite my better side, my soft spot
auf einen grünen Zweig kommen get ahead
giftgrün kelly-green
grasgrün grass-green
der **Grund, ⸗e (zu)** reason, cause, ground, bottom
gründlich thorough
der Grundsatz, ⸗e principle
grunzen grunt
das Schwein, -e pig
die **Gunst, ⸗e** favor, kindness, affection
die Mißgunst envy, jealousy, grudge, ill will
gurren coo
die Taube, -n dove, pigeon
die **Güte** kindness, goodness
Würden Sie die Güte haben? Would you be so kind?
gutmachen make up for

H

das **Haar, -e** hair
haargenau very exact
aufs Haar voraussagen predict exactly
an den Haaren herbeigezogen far-fetched
ein Haar in der Suppe finden find fault with something
sich in den Haaren liegen quarrel, be at loggerheads
die Haare standen mir zu Berg my hair stood on end
Haare auf den Zähnen haben show fight, be brazen, be tough
sich keine grauen Haare wachsen lassen not worry one's head about something
kein gutes Haar an jmdm. lassen pick somebody to pieces
der Friseur, -e hairdresser, barber
habilitieren (*refl. acc.*) be qualified *or* recognized as an academic teacher
der **Haftelmacher, -** (*arch.*) clasp maker
aufpassen wie ein Haftelmacher watch like a hawk
der **Hahn, ⸗e** rooster, cock; faucet
der Hahn im Korb sein be cock of the roost, of the walk
kein Hahn kräht danach nobody cares a hoot about it
krähen crow
der **Haken, -** hook, catch
halber on behalf of, on account of
halbjährig lasting six months
halbjährlich occurring every six months
der **Hals, ⸗e** neck, throat
Hals- und Beinbruch! Good luck!
Hals über Kopf head over heels
zum Hals herauswachsen (*coll.*) cause to be sick of something
jmdm. vom Hals bleiben not bother somebody
sich jmdm. an den Hals werfen force oneself on somebody
um den Hals gehen be a matter of life and death
einer Flasche den Hals brechen open a bottle
sich die Lunge aus dem Hals schreien (*coll.*) scream one's head off

aus vollem Hals(e) loudly, at the top of one's voice
halten (ie, a; ä) hold
eine Rede, einen Vortrag halten give a speech, a lecture
viel von jmdm. halten think highly of somebody
(für) consider, take to be
(*refl. acc.*) **(an)** adhere to
die **Haltung, -en** attitude, deportment
der **Hammel, -** ram, mutton
der Neidhammel envious person
die **Hand, ⸚e** hand
Hand aufs Herz! On my honor, cross my heart
weder Hand noch Fuß neither rhyme nor reason
in der flachen Hand haben have in the palm of one's hand
flott von der Hand gehen go along very smoothly
aus freier Hand spontaneously, free-hand, voluntarily
aus dem Handgelenk schütteln off-hand; extempore
im Handumdrehen in less than no time, in a jiffy
auf den Händen tragen wait on hand and foot
handgeschrieben handwritten
der Handlanger, - helper, handy man
die Handtasche, -n pocket book, handbag, purse
der Handwerker, - artisan, worker, craftsman, laborer
der **Handel, ⸚** business, trade
handeln behave, act
(mit) trade, do business, bargain, haggle
(von) treat, concern, be the subject of
(*impers. refl.*) **(um)** be a question of, concern
die Handlung, -en action, plot
hängen cause to hang, suspend
hängen (i, a) hang, be suspended
Hannover Hanover
der Hannoveraner, - Hanoverian
hart hard
steinhart hard as a rock
die Hartnäckigkeit, -en obstinacy
der **Hase, -n** hare, rabbit
da liegt der Hase im Pfeffer there's the rub, that's the difficulty
mein Name ist Hase I don't know anything; I haven't the faintest idea
der Hasenfuß, ⸚e; das Hasenherz, -en coward
der Angsthase, -n coward, "fraidy-cat"
der **Haß (auf, gegen)** hate, hatred
häßlich ugly
häßlich wie die Nacht ugly as sin
häufig frequent
die **Hauptbedeutung, -en** principal *or* chief meaning
das **Hauptfach, ⸚er** major subject
der **Hauptsatz, ⸚e** principal clause, main clause, independent clause
das **Haus, ⸚er** house, home
nach Hause home(ward)
zu Hause at home
Haus und Hof hearth and home, house and home
der Hausdrache, -n vixen, shrew, scolding housewife
der **Hausierer, -** peddler
hausieren gehen go peddling
die **Haut, ⸚e** skin
aus der Haut fahren be mad
auf der faulen Haut liegen (*coll.*) be lazy, idle
eine gute oder ehrliche Haut (*coll.*) a good fellow, honest man

mit Haut und Haar completely, with heart and soul
mit heiler Haut davonkommen get off without a scratch
die Haut zu Markt tragen risk one's life
sich seiner Haut wehren, die Haut teuer verkaufen defend oneself
man kann nicht aus seiner Haut heraus the leopard can't change his spots
ich möchte nicht in deiner Haut stecken! I wouldn't want to be in your shoes!
die **Hecke, -n** hedge
der **Heide, -n** heathen, pagan
die Heide, -n heath
heilen heal
der Arzt, ¨-e doctor, physician
das **Heim, -e** home, dwelling
die Heimat, -en home, native land
heimisch home-bred, domestic
heimlich private, secret; (*syn.*) **geheim**
das Geheimnis, -se secret
heiß hot
heizen heat
die Hitze heat
der **Held, -en** hero
der Heldenmut heroic courage
helfen (a, o; i) (*dat.*) help
sich zu helfen wissen know how to take care of oneself; be resourceful
der Gehilfe, -n assistant
hell bright, clear
hellrot light red
die Helligkeit brightness, clearness
taghell bright as day
her towards the scene of action, hither
herausgeben (a, e; i) put out, publish; give *or* make change
die **Herde, -n** herd, flock, drove
der Hirt, -en herder, shepherd
der **Herr, -en** master, lord, sir
herrisch domineering
herrlich grand, magnificent
herrschen rule, prevail
herstellen restore
wieder hergestellt sein be restored (to health)
hervorragend distinguished, prominent
hervorrufen (ie, u) evoke, cause, call forth
das **Herz, -en** heart
nicht das Herz dazu haben, es nicht übers Herz bringen not have the heart to do it
ans Herz gewachsen very dear, very important
etwas auf dem Herzen haben have something on one's mind, be worried about something
das Herz in die Hand nehmen take courage
jmdm. etwas ans Herz legen recommend warmly to somebody's care
frisch vom Herzen reden, das Herz auf der Zunge haben, aus dem Herzen keine Mördergrube machen be very outspoken
auf Herz und Nieren prüfen examine very thoroughly
das Herz lacht mir im Leib my heart leaps with joy
mir fällt ein Stein vom Herzen that's a load off my mind, off my chest
herzensgut kind, loving
herzhaft courageous
herzig charming, dear
das Herzklopfen palpitation of the heart, irregular heart beat
herzlich hearty, cordial
beherzt bold, brave

hie und da now and then
hier und dort here and there
die **Hilfe** help
der Hilfe bedürftig sein need help
das Hilfszeitwort, ¨er auxiliary verb
der **Himmel, -** heaven, sky
am Himmel in the sky
im Himmel in heaven
um Himmels willen! for heaven's sake!
himmelblau sky-blue, azure
himmelhoch sky-high
hin away from scene of action
hin und her back and forth
hin und wieder now and then
hinauswerfen (a, o; i) throw out
hindern (an, bei einer Sache) hinder, disturb
das Hindernis, -se obstacle
verhindern prevent
hindurch throughout
hinsetzen set or put down or away
hinzufügen add
Hinz und Kunz Tom, Dick, and Harry
der **Hirt(e), -en** herdsman, shepherd
die **Hitze** heat
hoch high
hoch und heilig very solemnly
die Hochschule, -n university
die höhere Schule high school
höchst most highly, highly, most
höchste Zeit high time
hochmütig arrogant
die **Hochzeit, -en** wedding
die **Hochzeitsfeier, -n** wedding ceremony or celebration
der **Hof, ¨e** court, courtyard, farmyard, farm
höfisch courtly
höflich polite
der Hofuhrmacher, - court clock maker
die **Höhe, -n** height, elevation
die höhere Schule, -n high school
Eure Hoheit Your Highness, Your Majesty
die **Holzbank, ¨e** wooden bench
das **Honorar, -e** fee
hören hear
das Gehör sense of hearing
verhören interrogate; (*refl.*) hear wrongly, misunderstand
das **Horn, ¨er** horn
sich die Hörner ablaufen sow one's wild oats
die **Hose, -n** trousers, pants
das **Hufeisen, -** horseshoe
das **Huhn, ¨er** chicken, fowl
da lachen die Hühner (*coll.*) that's ridiculous
mit jmdm. ein Hühnchen zu rupfen haben have a bone to pick with somebody
jmdm. auf die Hühneraugen treten (*coll.*) offend *or* upset a person, tread on someone's toes
gackern cackle
die **Hülle, -n** cover, husk
in Hülle und Fülle heaps and heaps, in abundance
der **Hund, -e** dog
da liegt der Hund begraben! there's the rub!
mit allen Hunden gehetzt sein be as cunning *or* sly as a fox
auf den Hund kommen, vor die Hunde gehen go to the dogs
die Hundekälte bitter cold
ein Hundeleben a dog's life
hundemüde dog-tired
das Hundewetter miserable weather
wie ein begossener Pudel with a hangdog expression; abashed
der **Hunger** hunger
Hunger wie ein Bär, wie ein Wolf hungry as a wolf

hungern be hungry
verhungern starve
husten cough
der **Hut, ⸚e** hat
die Hut, -en keeping, protection, guard
hüten watch, guard, keep; (*refl.*) be on one's guard, take care
ich werde mich hüten (*coll.*) I wouldn't dream of it
mit jmdm. Schweine hüten (*coll.*) be on familiar terms with somebody

I

Indien India
der Inder, - Indian (*Hindu*)
der Indianer, - Indian (*American*)
das **Interesse, -n (an)** interest
sich interessieren (für) be interested (*in*)
Irland Ireland
der Ire, -n, der Irländer, - Irishman
irren err, be mistaken; (*refl.*) commit an error, be wrong
irrgläubig heretical
die Irrlehre, -n heresy
irrsinnig insane, mad
der Irrtum, ⸚er error, mistake
der Irrweg, -e wrong way
Israel Israel
der Israeli, - Israeli
Italien Italy
der Italiener, - Italian

J

der **Jähzorn** quick temper
der **Jammer** misery, complaint
jammern complain
jammerschade a very great pity
Japan Japan
der Japaner, - Japanese
jeweilig appropriate, respective, corresponding
jung young
der Junge, -n boy
der Jüngling, -e young man
blutjung very young

K

der **Kaffee** coffee
kaffeebraun coffee-colored
kalt cold
die Kälte coldness
die Erkältung, -en cold (*sickness*)
die **Kammermusik** chamber music
kämpfen fight
auf Leben und Tod to the death
(für) in the interest of, for
(gegen) against
(um) for the sake of, for
(aus) because of
der **Kanarienvogel, ⸚** canary
trillern twitter, warble
zwitschern chirp
das **Kapitel, -** chapter
der **Karren, -** cart
die **Karte, -n** card, ticket
Karten bestellen order tickets
die **Kaserne, -n** barracks
der Kasernenhof, ⸚e barracks square, parade ground
die **Kasse, -n** ticket office, box office, cashier's office
die **Kastanie, -n** chestnut
kastanienbraun chestnut, maroon
die **Katze, -n** cat
für die Katz' (*coll.*) completely useless
die Katze im Sack kaufen buy a pig in a poke
um etwas herumgehen wie die Katze um den heißen Brei beat around the bush, evade the issue

katzenfreundlich friendly to one's face only; hypocritical
der Katzenjammer (*coll.*) hang-over
der Katzensprung, ⸚e a stone's throw
die Naschkatze, -n nibbler
die Schmeichelkatze, -n flatterer
fauchen hiss
miauen mew, miaow
schnurren purr

der **Kauf, ⸚e** purchase
in Kauf nehmen accept, make allowance for
kaufen buy
der Kaufmann, die Kaufleute merchant
verkaufen sell

der **Kauz, ⸚e** fellow, chap, character

keck insolent
die Keckheit insolence, impudence

kehrtmachen turn around

kennen (a, a) know
der Bekannte, -n acquaintance
verkennen (a, a) misjudge

die **Kerze, -n** candle
kerzengerade straight as a ramrod

das **Kind, -er** child
mit Kind und Kegel bag and baggage
kinderleicht very easy, child's play
kinderlieb fond of children
in Kinderschuhen stecken be in its infancy
kindisch childish
kindlich childlike

die **Kirche, -n** church
die Kirchenmaus church mouse
arm wie eine Kirchenmaus poor as a churchmouse

die **Klammer, -n** parenthesis, bracket

der **Klang, ⸚e** sound, tone
der Mißklang, ⸚e dissonance, discord

klar clear, concise
klarmachen clarify, make evident, make understood
sich im klaren sein (*dat.*) **über** (*acc.*) understand, perceive clearly

klatschen clap
Beifall klatschen applaud

das **Klavier, -e** piano
das Klavierstück, -e composition for piano

das **Kleid, -er** dress, garment, clothes
kleiden suit, become
die Kleidung clothing
ankleiden dress
umkleiden (*refl. acc.*) change clothes
verkleiden disguise
der Schneider, - tailor

klein little, small, insignificant
das Kleingeld change
die Kleinigkeit, -en trifle, small matter
die Kleinheit, -en smallness
die Kleinlichkeit, -en meanness, pettiness, paltriness

klettern (auf) climb

klipp und klar quite clear, obvious

klug intelligent, shrewd, clever
die Klugheit, -en intelligence, prudence

der **Knecht, -e** servant, hired hand, farm hand

der **Knoten, -** knot
einen Knoten binden tie a knot

kochen cook, boil

die **Kohle, -n** coal
kohlschwarz coal-black
kohlrabenschwarz jet-black

der **Kolonialwarenladen, ⸚** grocery store

der **Komponist, -en** composer

das **Komposit(um), -(a)** compound

der **Konjunktiv, -e** subjunctive

kontrollieren control, check

der **Kopf, ¨e** head
Kopf hoch! chin up!
nicht auf den Kopf gefallen sein know what's what
den Kopf oben behalten keep one's chin up, not lose one's courage
ein Brett vor dem Kopf haben have a narrow horizon, be mentally limited
nicht wissen, wo einem der Kopf steht not know where to turn
Rosinen im Kopf haben (*coll.*) have big ideas
sich etwas aus dem Kopf schlagen dismiss from one's mind
vor den Kopf stoßen insult, affront
das kann dir den Kopf kosten! this can cost your life!
der **Korb, ¨e** basket
der Hahn im Korb cock of the roost
kosten cost; taste
kostbar costly, expensive
köstlich precious, exquisite, wonderful
kräftig strong, powerful
kräftigen invigorate, strengthen
bekräftigen strengthen, affirm
krähen crow
der Hahn, ¨e rooster
kein Hahn kräht danach nobody cares a hoot about it
krank sick, ill
der Kranke, -n sick person, patient, invalid
das Krankenhaus, ¨er hospital
ins Krankenhaus einliefern bring to the hospital
die Krankheit, -en sickness, illness
der Arzt, ¨e doctor, physician
der Chirurg, -en surgeon
der Spezialist, -en specialist
der **Kranz, ¨e** wreath, garland
einen Kranz flechten make a garland
das **Kraut, ¨er** plant, cabbage, herb
das Unkraut, ¨er weed
der **Krebs, -e** lobster; cancer
krebsrot red as a lobster
die **Kreide, -n** chalk
kreideweiß chalk-white
das **Kreuz, -e** cross
kreuz und quer criss-cross
der **Krieg, -e** war
Krieg führen make war
auf dem Kriegsfuß leben be on bad terms, on the warpath, at daggers drawn
die **Krone, -n** crown (*monetary unit*)
die **Krücke, -n** crutch
der **Krug, ¨e** pitcher, jug, vessel
der **Kuchen, -** cake
der **Kuckuck** cuckoo
rufen call
die **Kuh, ¨e** cow
das geht auf keine Kuhhaut (*coll.*) that beats everything, that takes the cake
muhen moo, low
kümmern concern; (*refl. acc.*) (**um**) concern oneself with
der **Kunde, -n** customer
die **Kunde, -n** information, news
die **Kunst, ¨e** art, skill
der Künstler, - artist
künstlerisch artistic
künstlich artificial
ein Kunststück zeigen perform a trick, a feat
ein Kunstwerk schaffen create a work of art
kurz short
kurz und gut in short, briefly
kürzen reduce, shorten
abkürzen abbreviate, abridge

verkürzen lessen, diminish, while away (*time*)
die **Kusine, -n** female cousin
der **Kutscher, -** coachman, driver

L

der **Laden, ⸗** store
der Ladentisch, -e counter
die **Lage, -n** situation
lahm lame
lahmen be lame
lähmen paralyze
der **Laib, -e** loaf (*of bread*)
das **Land, ⸗er** soil, ground, country, land, state
die Landesfarbe, -n national colors
das Landhaus, ⸗er villa, country home
der Landmann, -leute peasant, farmer
die Landratte, -n landlubber
der Landsknecht, -e mercenary soldier, legionnaire
der Landsmann, ⸗er fellow countryman
der Landwirt, -e farmer
der Bauer, -n farmer, peasant
der Pächter, - tenant farmer
lang long
lang und breit in detail, fully
längst long since
langen suffice, be enough
(nach) reach (for)
erlangen reach
verlangen demand, require
der **Lärm, -e** noise, racket
lassen (ie, a; ä) leave, let; stop, cease
(sich) etwas tun lassen have something done
das läßt sich tun that can be done
auslassen omit, leave out
belassen leave as it was
entlassen dismiss
verlassen leave (*a place*); (*refl. acc.*) **(auf)** rely (on)
lästig burdensome, troublesome
laufen (ie, au; äu) run
wie ein geölter Blitz like greased lightning
wie ein Hase, wie ein Wiesel like a rabbit, in a flash
wie der Wind like the wind
verlaufen (*refl. acc.*) lose one's way
die **Laus, ⸗e** louse
mir ist eine Laus über die Leber gelaufen (*coll.*) that annoys me, rubs me the wrong way
jmdm. eine Laus in den Pelz setzen (*coll.*) give a person trouble
der Lausbub, -en; der Lausejunge, -n little rascal
läuten ring
das **Leben, -** life
leben live
Leben schenken grant life, pardon
auf Leben und Tod to the death, at the risk of one's life
lebend living, alive
lebendig alive, lively
lebhaft lively, vivid, brisk
das **Leder, -** leather
der Lederarbeiter, - worker in leather
der Lederhändler, - dealer in leather
der Gerber, - tanner
das Rindsleder, - cow hide
legen lay; (*refl. acc.*) lie down
liegen (a, e) lie
die **Lehre, -n** precept, moral, lesson, theory
jmdm. eine Lehre erteilen teach somebody a lesson
der Lehrer, - teacher
der Lehrling, -e apprentice
die Lehrzeit, -en apprenticeship

die Irrlehre, -n heresy
lehren teach (*a subject*)
lehrhaft scholarly, schoolmasterly
lehrreich instructive
jmdn. belehren teach somebody
gelehrig intelligent, studious
gelehrt learned
der Gelehrte, -n scholar
lernen learn
der **Leib, -er** body
bei lebendigem Leib alive
leicht easy
die Leichtigkeit, -en ease, facility
der Leichtsinn, -igkeiten indiscretion, carelessness, levity
leihen (ie, ie) lend, borrow
verleihen (ie, ie) lend out, grant, bestow
leisten achieve, perform, accomplish; (*refl. dat.*) afford
gute Arbeit leisten do a good job
die Leistung, -en achievement
die Fehlleistung, -en failure
der **Leiter, -** leader, guide
die **Leiter, -n** ladder
die **Lektüre, -n** reading
lesen (a, e; ie) read
die Leseratte, -n book worm
das Lesestück, ⁼e reading selection, article
letztgenannt last-named, last-mentioned
leugnen deny
licht light
das Licht, -er light
hinters Licht führen take a person in, confuse, cheat
lichten clear (*a forest*)
beleuchten, erleuchten light, illuminate
leuchten shine, give light
die **Liebe, -n (zu)** love (for)
Liebe auf den ersten Blick love at first sight
lieb dear, valued
kinderlieb fond of children
liebend loving, fond
liebenswert worthy of love
liebenswürdig kind, amiable
der Liebesbrief, -e love letter
das Liebeslied, -er love song
der Liebestod, -e death resulting from love
der Liebling, -e favorite
die Lieblingsbeschäftigung, -en hobby
lieblich lovely, charming
beliebt popular
geliebt beloved, loved
verlieben (*refl. acc.*) fall in love
verliebt in love
die **Linie, -n** line (*in a drawing*)
in erster Linie first of all, above all
die **List, -en** cunning, craftiness
listig cunning, sly, crafty
die Hinterlist, -en artifice, deceit, fraud
die **Loge, -n** private box (*in a theater*)
löschen extinguish, put out (*fire*)
erlöschen (o, o; i) become extinguished
erloschen extinguished, extinct
lose loose, free
lösen loosen, untie, solve
die Lösung, -en solution, answer
der **Löwe, -n** lion
der Salonlöwe, -n ladies' man
der **Luchs, -e** lynx
Augen wie ein Luchs eyes like a hawk
die **Lüge, -n** lie
lügen (o, o) lie
lügen wie gedruckt lie through one's teeth
der Lügner, - liar

die **Lunge, -n** lung

sich die Lunge aus dem Hals schreien (*coll.*) scream one's head off

die **Lust, -̈e** (**an**) pleasure, joy, delight (**zu**) desire

lustig merry, gay, jolly

lustig machen (*refl. acc.*) (**über**) make fun of

das Lustspiel, -e comedy

M

machen make, do

ich mache mir nichts daraus I do not care for it, I don't mind it

mächtig mighty, powerful; master of

des Deutschen mächtig sein have full command over the German language

das **Mahl** (*arch.*) meal

die Mahlzeit meal time, meal

(**gesegnete**) **Mahlzeit!** enjoy your meal!

das **Mal, -e** time, occurrence

mal (*coll. for* **einmal**) once, just

der **Mangel, -̈** (**an**) lack, deficiency

mangeln (*impers. dat.*) (**an**) (*dat.*) lack, want

die **Manier, -en** manner, habit

die **Mannschaft, -en** team, troops

die **Mark, -stücke** silver weight, coin

das **Mark** marrow, pith

durch Mark und Bein to the very marrow, to the quick

das **Maß, -e** measure (*unit*)

der Maßbegriff, -e term of measurement

die Maßeinheit, -en unit of measurement

die Maßnahme, -n measure (*action*), step, precaution

mäßig moderate

mäßigen mitigate, moderate

ermäßigen reduce

matt tired, pale

mattgrün pale green

das **Maul, -̈er** mouth (*of animals*)

Maulaffen feilhalten (*coll.*) stand gaping

ihm fliegen gebratene Tauben ins Maul (*coll.*) good luck comes naturally to him; he has everything handed to him on a silver platter

einem geschenkten Gaul sieht man nicht ins Maul don't look a gift horse in the mouth

jmdm. Honig ums Maul schmieren (*coll.*) sweet-talk, soft-soap somebody

meckern bleat

die Ziege, -n goat

die **Meile, -n** mile

melden report

das Meldeformular, -e report form

der **Mensch, -en** human being, person

der Menschenauflauf, -̈e mob of people, riotous crowd

die Menschenmenge, -n crowd

die Menschheit humanity, mankind

die Menschlichkeit, -en humaneness

der Unmensch, -en monster

merken notice; (*refl. dat.*) bear in mind, remember

bemerken notice, remark

bemerkenswert remarkable

merkwürdig odd, queer

das **Messer, -** knife

der **Messer, -** surveyor; gauge, meter

der **Metzger, -** butcher

miauen miaow, mew

die Katze cat

die **Miene, -n** mien, expression, countenance

mieten rent

vermieten offer for rent, rent out

mild(e) light, mild
das **Mißverständnis, -se** misunderstanding
das **Mitleid (mit)** pity, sympathy
der **Mitmensch, -en** fellow man
der **Mittag, -e** noon
zu Mittag at noon
die **Mitteilung, -en** information
das **Mittel, -** means, medium, remedy
die **Mitternacht, ¨-e** midnight
um Mitternacht at midnight
die **Möbel** (*pl.*) furniture
das Möbelstück, -e piece of furniture
Möbel schleppen move furniture
der Schreiner, -; der Tischler, - carpenter
der **Monat, -e** month
dreimal im Monat three times a month
der **Morgen** morning
morgen tomorrow
am Morgen in the morning
morgen früh tomorrow morning
die **Mücke, -n** gnat, bug, mosquito
aus einer Mücke einen Elefanten machen make a mountain out of a molehill
mucksmäuschenstill very quiet
müde tired
einer Arbeit müde sein be tired of a job
die Müdigkeit, fatigue, tiredness
hundemüde dog-tired
todmüde dead-tired
die **Mühe, -n** trouble, toil
der Mühe wert sein be worth the trouble
muhen moo, low
die Kuh, ¨-e cow
München Munich
der Münchner, - inhabitant of Munich
der **Mund, -e** *or* **¨-er** mouth
jmdm. am Mund hängen (*coll.*) listen attentively
nicht auf den Mund gefallen sein have a ready tongue
sich den Mund verbrennen say the wrong thing, get into hot water
sich kein Blatt vor den Mund nehmen be very outspoken, call a spade a spade
Morgenstunde hat Gold im Munde the early bird catches the worm
mündlich oral, verbal
münden flow into
mündig of age
die **Münze, -n** coin, money, change
das **Murmeltier, -e** marmot
schlafen wie ein Murmeltier sleep like a log
der **Mut** courage
den Mut fassen pick up courage
mutig brave, courageous
die **Mutter, ¨-** mother
die Mutter, -n nut (*of a bolt*)
mutterseelenallein all alone

N

nach after, behind; toward, to; according to
nach wie vor now as ever, now as before
nachdenken (a, a) reflect, consider
nachfolgend following
nachgeben (a, e; i) concede, yield
der **Nachkomme, -n** descendant
der **Nachmittag, -e** afternoon
am Nachmittag in the afternoon
die **Nachricht, -en** news, report
die **Nacht, ¨-e** night
bei Nacht und Nebel under cover of darkness
in der Nacht at night
häßlich wie die Nacht ugly as sin

der **Nachteil, -e** disadvantage
die **Nachtigall, -en** nightingale
  die Nachtigall schlägt the nightingale sings
nachweisen (ie, ie) prove, establish
nah near, close
  die Nähe, -n vicinity
  näher more closely, more in detail
  nächst nearest, next
  nähern (*refl. acc.*) approach
das **Nahrungsmittel, -** food
nämlich namely; that is to say, you know
der **Narr, -en** fool, jester
  jmdn. zum Narren haben (halten) make a fool of somebody
naschen nibble
  die Naschkatze, -n nibbler, one who eats secretly
die **Nase, -n** nose
  jmdm. etwas an der Nase ansehen tell something just by looking at a person
  sich die Nase begießen (*coll.*) get drunk
  jmdn. an der Nase herumführen hoodwink somebody
  jmdm. auf der Nase herumtanzen (*coll.*) take liberties with somebody, make fun of somebody
  jmdm. eine Nase drehen (*coll.*) fool somebody
  die Nase hochtragen be haughty, arrogant
  sich an der eigenen Nase ziehen mind one's own business, look to one's own faults
  die Nase vollhaben (*coll.*) have enough, be fed up
  Mund und Nase aufsperren be dumbfounded *or* flabbergasted
naseweis saucy, impertinent
naß wet, soaked
  pudelnaß drenched, sopping wet
die **Naturwissenschaft, -en** natural science
  der Naturwissenschaftler, - scientist
neben beside, next to
  das Nebenfach, ⸚er minor subject
  der Nebensatz, ⸚e dependent *or* subordinate clause
der **Neffe, -n** nephew
nehmen (a, o; i) take
  benehmen (a, o; i) (*refl. acc.*) behave
  vernehmen (a, o; i) hear, perceive; interrogate
der **Neid** envy, grudge
  neiden, beneiden envy, begrudge
  der Neidhammel envious person
die **Neigung, -en (zu)** inclination, affection
nett nice
neu new, recent
  die Neuerung, -en innovation
  neugierig curious, inquisitive
  die Neuheit, -en novelty
  die Neuigkeit, -en news
  neulich recently
  der Neuling, -e stranger, novice
die Nichte, -n niece
nicken nod, wink
nie never
  nie und nimmer nevermore
der **Norden** north
  nordisch northern, Norse
  nördlich northerly
Norwegen Norway
  der Norweger, - Norwegian
nötig needful, necessary
  nötig haben require, want, stand in need of
der **Nutzen, -** profit, advantage
  nützen (*dat.*) benefit, be of use
  nützlich useful
  nutzlos useless; (*syn.*) **unnütz**

O

der **Oberst, -en** colonel
obig above
der **Ochse, -n** ox, bull
 ochsen (*coll.*) cram; (*syn.*) **büffeln**
 dastehen wie der Ochs vorm neuen Tor be flabbergasted, perplexed
offen open
 öffentlich public
 öffnen open (up), unseal
 eröffnen open, initiate, start
das **Ohr, -en** ear
 sich aufs Ohr legen (*coll.*) take a nap, have forty winks
 bis über die Ohren verliebt head over heels in love
 es faustdick hinter den Ohren haben be a sly dog; a cunning fellow
 sich etwas hinters Ohr schreiben take note of, remember, learn a lesson from something
 lange Ohren machen listen curiously, prick up one's ears
 sich die Nacht um die Ohren schlagen (*coll.*) stay up all night
 jmdn. übers Ohr hauen; jmdm. das Fell übers Ohr ziehen (*coll.*) cheat *or* fleece somebody
 der Ohrenschmaus a real treat, a feast for the ears
 der Ohrenschmerz, -en earache
 die Ohrfeige, -n box on the ear, slap
 der Ohrring, -e earring
der **Onkel, -** uncle
das **Opfer, -** sacrifice, offering
 opfern sacrifice
das **Orchester, -** orchestra
 der Orchestermusiker, - orchestra player
die **Ordnung, -en** order, arrangement
der **Ort, -e** place
Österreich Austria
 der Österreicher, - Austrian

P

paffen puff
das **Paket, -e** parcel, package
Paris Paris
 der Pariser, - Parisian
das **Parkett** orchestra stalls, orchestra seats (*theater*)
passen (*dat.*) be right, suit, fit
das **Pech** pitch; (*coll.*) ill luck
 pechschwarz pitch-black
 der Pechvogel, ⸚ unlucky person
die **Pein** pain, torture, embarrassment
 peinigen torture, torment
 peinlich painful, embarrassing
die **Peitsche, -n** whip
der **Pelz, -e** pelt, fur, hide
 der Pelzhändler, - furrier (*dealer*)
 der Kürschner, - furrier (*worker*)
der **Pfahl, ⸚e** stake, post
der **Pfau, -e** peacock
 eitel wie ein Pfau vain as a peacock
die **Pfeife, -n** pipe
der **Pfeil, -e** arrow
 pfeilgerade straight as an arrow
 pfeilschnell swift as an arrow
das **Pferd, -e** horse
 auf hohem Roß sitzen be conceited
 auf Schusters Rappen on foot, on shank's mare
 schnauben snort
 wiehern neigh, whinny
pflegen be in the habit of, be used to; nurse, take care of
der **Pflug, ⸚e** plough
 pflügen plow
das **Pfund, -e** pound
der **Plan, ⸚e** plan
 einen Plan entwerfen, fassen, schmieden conceive, draw up, hatch a plan

der **Platz, ⁼e** seat, place, room
 einen Platz belegen reserve a seat
 einen Platz besetzen occupy a seat
 der Platzregen, - sudden downpour
plötzlich sudden
Polen Poland
 der Pole, -n Pole
Portugal Portugal
 der Portugiese, -n Portuguese
die **Post** post, mail
 das Postamt, ⁼er post office
 der Postbote, -n postman, mailman; (*syn.*) **der Briefträger, -**
die **Postposition, -en** postposition
der **Preis, -e** price, cost, prize
 das Preisausschreiben, - contest, competition
das **Programm, -e** program
 ein Programm aufsetzen, entwerfen, zusammenstellen draw up, plan, set up a program
die **Prüfung, -en** test
 eine Prüfung ablegen, bestehen, schreiben take, pass, write a test
 bei einer Prüfung durchfallen fail a test
der **Pudel, -** poodle
 pudelnaß drenched, sopping wet
 wie ein begossener Pudel with a hang-dog expression
der **Puls, -e** pulse
 jmdm. den Puls fühlen take somebody's pulse
purpur crimson
 purpurrot crimson
der **Purzelbaum, ⁼e** somersault
 einen Purzelbaum schlagen turn a somersault

Q

quaken croak
 der Frosch, ⁼e frog

R

der **Rabe, -n** raven
 ein weißer Rabe rare bird, one in a million
 der Rabenvater, ⁼ unnatural father
 rabenschwarz jet-black
 der Unglücksrabe, -n bird of ill omen; unlucky fellow
die **Rache** revenge
 Rache nehmen (a, o; i) take revenge
 rächen (*refl. acc.*) avenge, revenge
die **Rampe, -n** platform, ramp; apron (*of a stage*)
 das Rampenlicht, -er footlights
der **Rand, ⁼er** edge, brink
 außer Rand und Band out of control, beside oneself
der **Rappe, -n** black horse
 auf Schusters Rappen on foot, on shank's mare
die **Rasierklinge, -n** razor blade
der **Rat, ⁼e** council, councilman, councilor
 -schlag, ⁼e (*piece of*) advice
 raten (ie, a; ä) (*dat.*) advise, counsel; (try to) guess, conjecture
 das Rathaus, ⁼er town hall
 der Ratsherr, -en councilman, councilor
 erraten guess (*correctly*)
 verraten betray
das **Rätsel, -** puzzle, enigma, mystery
die **Ratte, -n** rat
 schlafen wie eine Ratte sleep like a log
 die Ballettratte, -n ballet dancer, chorus girl
 die Landratte, - landlubber
 die Leseratte, -n bookworm
 die Schlafratte, -n sound sleeper
 die Wasserratte, -n person fond of water *or* of swimming

der **Rauch** smoke
rauchen smoke
rauchen wie ein Schlot smoke like a chimney
räuchern smoke, cure (*meat*)
räuspern (*refl. acc.*) clear one's throat
rechnen count, calculate, figure, reckon
(auf) count, depend, rely (upon)
(mit) take into account, reckon (with)
die Rechnung, -en bill, check; calculation
recht right, proper, correct, true, all right
recht und billig right and proper, fair, only right
das Recht, -e (auf) right, claim, privilege
der Rechtsanwalt, ⸗e lawyer, attorney
rechtzeitig in time, in due time, in good time
die **Rede, -n** speech, discourse
eine Rede halten make a speech
reden speak, talk
reden wie ein Wasserfall talk incessantly
die Redewendung, -en idiom, phrase
die **Regel, -n** rule
regellos irregular; (*syn.*) **unregelmäßig**
regelmäßig regular
der **Regen** rain
der Regenschirm, -e umbrella
regnen rain
regnen wie mit Eimern, wie aus Fässern rain buckets, cats and dogs, pitchforks
regieren govern, rule
die Regierung, -en government
reich rich
steinreich very rich; stony
reichen reach, be enough
jmdm. etwas reichen present, pass, hand something to someone
erreichen reach, attain
die **Reihenfolge, -n** sequence
der **Reim, -e** rhyme
Reime schmieden write verse
rein clear, pure
reinigen clean, purify
der **Reis** rice
das **Reis, -er** (*arch.*) twig, shoot
die **Reise, -n** trip, journey
eine Reise machen, unternehmen (a, o; i) take a trip
reisen travel
der Reisekoffer, - suitcase, traveling bag
der Reisende, -n traveler, traveling salesman
reißen (i, i) tear, rend
die Geduld riß ihm he lost his patience
zerreißen tear apart
das **Reiterstandbild, -er** equestrian statue
rennen (a, a) run
der **Respekt (vor)** respect
das **Resultat, -e** result
retten save, rescue
rettungslos irretrievable, hopeless, past help; (*syn.*) **unrettbar**
reuen (*impers. acc.*) regret, repent
bereuen regret, repent
die **Rezension, -en** critique, review
das **Rezept, -e** prescription, recipe
richten adjust, judge; (*refl. acc.*) **(nach)** go by, be guided by, depend on a thing
der Richter, - judge
richtig right, accurate, correct
die Richtigkeit correctness, accuracy
der **Richtungsanzeiger, -** directional indicator
der **Riegel, -** bolt

das **Rind, -er** ox, cow, cattle, beef, steer
  die **Rinderherde, -n** herd of cattle
  das **Rindfleisch** beef
  das **Rindsleder, -** cow hide
  das **Rindvieh** cattle
rinnen (a, o) run, flow
die **Röntgenaufnahme, -n** X-ray picture
das **Rohr, -e** cane; tube, barrel
  dünn wie ein Rohr thin as a bean-pole
der **Rohrspatz, -en** sparrow, guttersnipe
  schimpfen wie ein Rohrspatz scold like a fishwife
der **Rohstoff, -e** raw material
rollen roll, rumble
rosa pink, rose-colored
das **Roß, -e** horse, steed
  auf hohem Roß sitzen be conceited
rosten rust
rot red
  der rote Faden plot, thread of narrative
  den roten Hahn aufs Dach setzen set fire to a house
  keinen roten Heller not a brass farthing
  rot werden, erröten blush
  heute rot, morgen tot here to-day, gone to-morrow
  blutrot blood-red
  feuerrot fiery red
  knallrot bright red
  krebsrot red as a lobster
  purpurrot crimson
  scharlachrot scarlet, vermilion
  weinrot wine-red, maroon
ruchlos infamous
die **Rückerstattung, -en** restitution
die **Rückkehr** return
die **Rücksicht, -en (auf)** consideration
  rücksichtslos inconsiderate, rude, ruthless
rufen (ie, u) call
der **Ruhm** glory, fame
  rühmen praise; (*refl. acc. with gen.*) boast
  ruhmlos inglorious, without fame; (*syn.*) **unberühmt** without fame, **unrühmlich** inglorious
rühren stir, move
  gerührt moved, touched
Rumänien Rumania
  der Rumäne, -n Rumanian
runzeln (die Stirn) wrinkle, knit (*one's brow, forehead*)
Rußland Russia
  der Russe, -n Russian

S

der **Saal, die Säle** large hall, room
  der Geselle, -n journeyman, assistant
  die Gesellschaft, -en company, society
die **Sache, -n** affair, matter, thing
  seiner Sache sicher sein know what one is about, be sure of
der **Sack, ⸚e** sack, bag
  mit Sack und Pack bag and baggage
  die Katze im Sack kaufen buy a pig in a poke
  lieber einen Sack Flöhe hüten (*coll.*) rather do anything else
sagen say
  versagen refuse, deny, forbid; fail
die **Salbe, -n** ointment, salve
der **Salon, -s** drawing room, parlor
  der Salonlöwe, -n ladies' man, dandy, fop
salutieren salute
das **Salz** salt
  salzen salt
  versalzen salt excessively

sang- und klanglos without a word, without much ado
satt satiated, full
einer Sache satt sein be tired of something; (*syn.*) **etwas satt haben**
sättigen satisfy, satiate
der **Satz, ⸚e** sentence, clause
das Satzpaar, -e pair of sentences
der Satzteil, -e part of speech
der Hauptsatz, ⸚e main clause
der Nebensatz, ⸚e dependent clause
sauber clean, neat
die Sauberkeit cleanliness, neatness
saufen (o, o; äu) (*coll.*) drink excessively
saufen (trinken) wie ein Schwamm (*coll.*) drink like a fish
besoffen (*coll.*) dead-drunk
saugen (o, o) suck
säugen suckle, nurse
der **Saus** (*obs.*) rush, storm
in Saus und Braus riotously
schäbig shabby
der **Schaden, ¨** damage, injury, harm
(jammer)schade it's a (very great) pity
schaden (*dat.*) harm, hurt
schadhaft damaged, injured
schädigen wrong (*somebody*)
schädlich harmful, injurious
beschädigen damage, blight
das **Schaf, -e** sheep
sein Schäfchen ins Trockene bringen feather one's nest
der Schäfer, - shepherd
das Schäferstündchen, - hour for lovers, time for flirting
der Schafskopf, ⸚e blockhead
blöken bleak
schaffen (u, a) make, create
der **Schaffner, -** conductor
schallen sound, resound
schämen (*refl. acc.*) be ashamed
sich einer Sache schämen be ashamed of something
scharf sharp
schärfen sharpen, whet
jmdm. etwas einschärfen impress something upon someone
verschärfen render more severe, sharpen
der **Scharlach** scarlet fever
scharlachrot scarlet, vermilion
der **Schatz, ⸚e** treasure, sweetheart
schaufeln dig
das **Schauspiel, -e** play, drama
der Schauspieler, - actor
der **Schein, -e** banknote, bill; appearance
scheinbar apparent
scheinen (ie, ie) shine, seem
erscheinen (ie, ie) come into view, appear
schellen ring (*a bell*)
schallen sound, resound
der **Schelm, -e** rogue, scoundrel
schelten (a, o; i) blame, scold
schenken give, grant
scheuen shun, avoid; (*refl. acc.*) hesitate
etwas scheuen wie die Sünde shun something like poison
der **Scheunendrescher, -** thrasher
essen (fressen) wie ein Scheunendrescher (*coll.*) eat like a horse
der **Schi (der Ski), -er** ski
schicken send; (*imp. refl.*) be proper, fitting; (*refl. acc.*) (**in** *with acc.*) become reconciled, resign oneself to
das Schicksal, -e destiny, fate
schießen (o, o) shoot
der Schießhund, -e pointer
aufpassen wie ein Schießhund watch like a hawk
der Schuß, ⸚sse shot
erschießen (o, o) kill by shooting
das **Schiff, -e** ship

die **Schiffahrt** navigation, shipping
der **Schiffbruch, ⁼e** shipwreck
der **Schiffsjunge, -n** cabin boy
der **Schild, -e** shield
das **Schild, -er** sign, plate, badge
schimpfen insult, affront, scold
schimpfen wie ein Rohrspatz (*coll.*) scold like a fishwife
schlafen (ie, a; ä) sleep
schlafen wie ein Murmeltier, wie eine Ratte, wie ein Stein sleep like a log, like a baby
das **Schläfchen, -** nap
ein Schläfchen halten take a nap
die **Schlafratte, -n** sound sleeper
verschlafen miss by sleeping, sleep through (*something*)
sich verschlafen oversleep
schlagen (u, a; ä) beat, hit, strike
die Nachtigall schlägt the nightingale sings
einen Purzelbaum schlagen turn a somersault
die **Schlange, -n** serpent, snake
Schlange stehen stand in line
zischen hiss
schlank slim, slender
schlank wie eine Tanne as slender as a reed, a birch
schlau sly, cunning
der **Schlaufuchs, ⁼e** cunning fellow, sly dog
schlecht bad
schlecht und recht as best you can, after a fashion
die **Schlechtheit, -en** baseness, wickedness
schleifen (i, i) grind, polish; (*reg.*) drag, slide
schleppen drag, move
Möbel schleppen move furniture
schleunigst very rapidly, as quickly as possible
schließen (o, o) close
einen Vertrag schließen conclude an agreement, draw up a contract
der **Schlingel, -** rascal, rogue
das **Schloß, ⁼sser** bolt, clasp, lock; castle
hinter Schloß und Riegel under lock and key
der **Schlot, -e** chimney
schlucken swallow, gulp
verschlucken gulp down
(*refl. acc. with* **bei**) swallow the wrong way
der **Schluß, ⁼sse** end, closing, conclusion
der Fehlschluß, der Trugschluß, ⁼sse false conclusion, fallacy
schmatzen (*coll.*) smack (*one's lips*), eat noisily
schmeicheln (*dat.*) flatter
schmeichelhaft flattering, complimentary
die Schmeichelkatze, -n flatterer
schmeichlerisch flattering, fawning
schmelzen (o, o; i) melt, dissolve; cause to melt
der **Schmerz, -en** pain
die Kopfschmerzen (*pl.*) headache
die Ohrenschmerzen (*pl.*) earache
der **Schmied, -e** blacksmith
schmieden forge
Lügen schmieden concoct lies
Pläne schmieden devise plans
Reime schmieden write verses
schmücken decorate
der **Schmutz** dirt, filth
der Schmutzfink, -e dirty fellow
schnattern cackle
die Ente, -n duck
die Gans, ⁼e goose
schnauben snort
das Pferd, -e horse
der **Schnee** snow
schneeweiß snow-white

der **Schneekönig, -e** wren
sich freuen wie ein Schneekönig be as happy as a lark
schneiden (i, i) cut
Grimassen schneiden make faces
der Schneider, - tailor
schnell quick, fast, rapid
pfeilschnell as swift as an arrow
wie ein geölter Blitz like greased lightning
schnurren purr
schön beautiful, nice, fair
na schön! well, all right! fine!
die Schönheit, -en beauty
bildschön most beautiful, very lovely
der **Schreck(en), -e(-)** terror, fright
vor Schreck with fright, for fright
schreckhaft fearful, afraid
schrecklich terrible, dreadful
schreiben (ie, ie) write
die Schreibtischschublade, -n desk drawer
beschreiben (ie, ie) describe
verschreiben (ie, ie) prescribe; (*refl. acc.*) make an error in writing
der Schriftsteller, - author, writer
schreien (ie, ie) cry, scream
schreien (brüllen) wie ein Stier, wie am Spieß (*coll.*) bellow like an ox, squeal like a stuck pig
aus vollem Hals schreien scream at the top of one's voice
sich die Lunge aus dem Hals schreien (*coll.*) scream one's head off
der **Schriftsteller, -** author, writer
der **Schritt, -e** step, stride
auf Schritt und Tritt step for step, doggedly
der **Schuh, -e** shoe
der Schuhmacher, - shoemaker; (*syn.*) **der Schuster, -**
die **Schuld, -en (an)** debt, fault, blame (for)
schuld responsible
er ist schuld daran it is his fault
schulden owe
schuldig guilty, indebted
eines Verbrechens schuldig sein be guilty of a crime
jmdm. etwas schuldig sein owe something to somebody
Was bin ich schuldig? How much do I owe?
schuldhaft criminal
schuldlos innocent; (*syn.*) **unschuldig**
beschuldigen (jmdn. einer Sache) accuse (*somebody of something*)
verschulden commit, be guilty of
verschuldet in debt
die **Schule, -n** school
die Schulaufgabe, -n school lesson, assignment, homework
der Schuljunge, -n schoolboy
der Schulkamerad, -en schoolmate
die Hochschule, -n university
die höhere Schule, -n high school, secondary school
die **Schuppe, -n** scale (*of a fish*)
wie Schuppen fällt es mir von den Augen I begin to see clearly
der **Schuß, ⸚sse** shot
schütteln shake
der **Schutz** shelter, refuge, protection
schützen (vor) defend, protect (from)
schwach weak
schwächen weaken
abschwächen attenuate, diminish
der **Schwager, ⸚** brother-in-law
die Schwägerin, -nen sister-in-law
der **Schwamm, ⸚e** sponge
trinken wie ein Schwamm drink like a fish

schwärmen (für) be enthusiastic (about)

schwarz black

das schwarze Brett, -er bulletin board

schwarz fahren drive without license, go for a joyride

der Schwarzhandel, -; der schwarze Markt, ¨e black market

schwarz sehen be pessimistic, see the dark side of things

ins Schwarze treffen hit the mark, the bull's-eye

warten, bis man schwarz wird wait till doomsday

kohlschwarz coal-black

pechschwarz pitch-black

rabenschwarz jet-black

Schweden Sweden

der Schwede, -n Swede

schweigen (ie, ie) be silent

schweigen wie das Grab be (as) silent as the grave

das **Schwein, -e** hog, pig, swine

Schwein haben (*coll.*) be in luck

zusammen mit jmdm. die Schweine hüten (*coll.*) be *or* become too familiar with someone

grunzen grunt

der **Schweiß** sweat, perspiration

schweißen weld

schwitzen perspire, sweat

die **Schweiz** Switzerland

der Schweizer, - Swiss

schwellen (o, o; i) swell (*intrans.*), rise; (*reg.*) swell (*trans.*), distend

schwemmen set afloat, wash *or* rinse off

schwimmen (a, o) float, swim

schwenken wave, swing

schwingen (a, u) swing

schwer heavy

bleischwer heavy as lead

die **Schwiegereltern** (*pl.*) parents-in-law

die Schwiegermutter, ¨ mother-in-law

der Schwiegervater, ¨ father-in-law

schwören (u, o) swear, take an oath

(auf) have faith in, swear to *or* by something

(bei) swear upon

der **Schwung, ¨e** swing, energy, impetus

schwunghaft flourishing

schwungvoll lofty, stirring

der **See, -n** lake

die See, -n sea, ocean; (*syn.*) **das Meer, -e**

der Seebär, -en old salt, seadog

die **Seele, -n** soul

seelenruhig very calm

das **Segel, -** sail

sehen (a, e; ie) see

absehbar foreseeable

absichtlich intentional

das Gesicht, -er face

sichtbar visible, in sight

sichtlich apparent, obvious

unabsehbar not to be foreseen, unpredictable

unsichtig hazy, misty

unübersehbar immense

unübersichtlich difficult to survey, bad (*corner*)

sehnen (*refl. acc.*) **(nach)** long (for)

die Sehnsucht, ¨e (nach) desire, longing (for)

sehnsüchtig, sehnsuchtsvoll longing, passionate

selbstsüchtig selfish

sengen singe

senken cause to sink, lower

sinken (a, u) sink

setzen set; (*refl. acc.*) sit down

sitzen (a, e) sit

sicher sure, certain

seiner Sache sicher sein know what one is about, be sure
die Sicherheit, -en security, certainty
die Sicherung, -en fuse
die Versicherung, -en insurance, assurance
die Versicherungsgesellschaft, -en insurance company
singen (a, u) sing
versingen (*refl. acc.*) make a mistake in singing, sing a wrong note
der **Sinn, -e** sense, mind, intellect
bei Sinnen sein be in one's right mind
sinnfällig obvious
sinngemäß appropriate
sinnig thoughtful
sinnlich sensual
sinnlos foolish; (*syn.*) **unsinnig**
sinnreich clever, witty
sinnvoll significant, meaningful
der Sinnzusammenhang, ⸚e connection of meaning, relationship
die **Sitte, -n** custom, habit, etiquette
die Unsitte, -n bad habit, bad custom
der **Ski (der Schi), -er** ski
Ski laufen (Schilaufen) ski
der **Sockel, -** base
die **Sorge, -n** worry, care
Sorgen machen (*refl. dat.*) **(über)** concern oneself with, worry (about)
sorgen (*refl. acc.*) **(um)** worry, fear (for)
sorgen (für) care, provide (for)
sorgenfrei free from care
sorgenvoll worried
sorgfältig careful
sorglos carefree, indifferent; (*syn.*) **unbesorgt**
sorgsam prudent, circumspect
der **Souffleur, -e** prompter
das **Spalier, -e** trellis; line formed by people
Spalier stehen line each side of the way
Spanien Spain
der Spanier, - Spaniard
sparen save
spärlich sparse, scarce, scanty
sparsam saving, thrifty
der **Spaß, ⸚e** joke, jest
spaßen joke, jest, make fun
der Spaßvogel, ⸚ wag, buffoon
der **Spatz, -en** sparrow
ein Spatz in der Hand ist besser als eine Taube auf dem Dach a bird in hand is worth two in the bush
spazierengehen (i, a) go strolling, go for a walk
sperrangelweit gaping
das **Spielzeug, -e** toy
der **Spieß, -e** spear, spit
brüllen (schreien) wie am Spieß (*coll.*) squeal like a stuck pig
die **Spinne, -n** spider
jmdm. spinnefeind sein hate a person like poison
der **Spitzbub, -en** rascal, swindler, rogue
splitterfasernackt stark naked
der **Spott** mockery, scorn
spottbillig very cheap
spotten mock, scoff
sprechen (a, o; i) (über) speak (about)
sprechen wie ein Buch talk bookishly
das Sprechzimmer, - consulting room
versprechen (a, o; i) promise; (*refl. acc.*) make a slip of the tongue
das Sprichwort, ⸚er proverb
sprengen burst, break, blast
springen (a, u) spring, jump
das **Sprichwort, ⸚er** proverb

der **Staat, -en** state, country
der Staatsanwalt, ⁼e state attorney, district attorney
der (Staats)beamte, -n civil servant, government official
der **Stab, ⁼e** staff, stick
der **Stadtrat, ⁼e** town council, city councilor
der **Stahl** steel
stahlgrau steel-gray
stammen originate from, stem from, come from
die Stammsilbe, -n stem
das Stammverb, -en verb stem
der **Standpunkt, -e** standpoint
stark strong
stärken strengthen, invigorate
bestärken confirm, support
verstärken intensify, amplify
stecken stick, put, place
(stak, gesteckt) be fixed, be placed, stick fast
verstecken hide
das **Steckenpferd, -e** hobby
stehen (a, a) stand
verstehen (a, a) understand
stehlen (a, o; ie) steal
stehlen wie eine Elster steal like a gypsy
steigen (ie, ie) (auf) climb (onto)
der **Stein, -e** stone
schlafen wie ein Stein sleep like a log
steinalt very old
steingrau stone-gray
steinhart hard as stone
steinreich stony; very rich
stellen put, place, set
eine Frage stellen ask a question
die Stelle, -n place, position
die Stellung, -en situation, position, job
stehen (a, a) stand
stempeln stamp, seal
stempeln gehen (*coll.*) be on the dole, collect unemployment compensation
sternhagelbetrunken very drunk
das **Steuer, -** rudder, helm, control
die Steuer, -n tax
die **Stiefeltern** (*pl.*) stepparents
das Stiefkind, -er stepchild
der Stiefsohn, ⁼e stepson
die Stieftocher, ⁼ stepdaughter
der **Stier, -e** bull
brüllen (schreien) wie ein Stier (*coll.*) bellow like an ox
stimmen agree, accord, harmonize
es stimmt that is right
die **Stirn(e), -en** forehead
die Stirn runzeln knit one's brow, wrinkle one's forehead
der **Stock, ⁼e** stick, staff
über Stock und Stein up hill and down dale
das Stockwerk, -e floor, story
stopfen fill, stuff
stören disturb
lassen Sie sich nicht stören! don't let me disturb you!
die **Strafe, -n** punishment
zur Strafe as punishment
Strafantrag stellen prefer charges, start legal action
der Sträfling convict
straflos unpunished, blameless; (*syn.*) **unbestraft, ungestraft**
der **Strahl, -en** ray, beam
der **Strand, -e** shore, beach
der **Strauch, ⁼er** shrub, bush
der **Strauß, ⁼e** bouquet
der Strauß, -e ostrich
streben (nach) strive (for)
der **Streich, -e** trick, prank
jmdm. einen Streich spielen play a trick on somebody

das **Streichholz, ¨-er** match; (*syn.*) **das Zündholz, ¨-er**
der **Streit, -e** quarrel, argument, conflict
streiten (i, i) quarrel, argue
der Streitfall, ¨-e dispute
stricken knit
das **Stroh, -halme** straw, thatch
brennen wie Stroh burn like straw
strohdumm very stupid
der **Strom ¨-e** stream, flood, current, river
es gießt in Strömen it is raining cats and dogs
die **Stufe, -n** step
stutzen stop short, hesitate
das **Substantiv, -e** noun
summen buzz
die Biene, -n bee
die **Sünde, -n** sin
etwas scheuen wie die Sünde shun something like poison
süß sweet
die Süßigkeit, -en sweetness, candy

T

die **Tafel, -n** blackboard
der **Tag, -e** day
bei Tag during the day
das Tagebuch, ¨-er diary
der Tagesanbruch, ¨-e dawn, daybreak
die Tageszeit, -en time of day, daytime
taghell bright as day
das Tagwerk, -e daily task, day's work
die **Tanne, -n** fir tree
schlank wie eine Tanne slim as a birch, slender as a reed
tapfer brave
die Tapferkeit, -en bravery
die **Taste, -n** key (*of a piano*)
die **Tat, -en** deed, act
der Täter, - culprit
die Tätigkeit, -en occupation, profession, activity
die Tätlichkeit, -en violence
der Tatort, -e scene of action, scene of the crime
die Tatsache, -n fact
die Missetat, -en misdeed, crime
die Untat, -en crime, outrage
der **Tau** dew
das Tau, -e rope, cable
taub deaf
die **Taube, -n** pigeon, dove
gurren coo
die **Teilnahme, -n (an)** interest, participation, share (in)
teilnehmen (a, o; i) (an) participate, take part (in)
der Teilnehmer, - participant, subscriber
teuer dear, expensive
sündhaft teuer frightfully expensive
der **Teufel, -** devil
das **Theaterstück, -e** play, drama
das **Tier, -e** animal
Tiere hüten guard, keep animals
der Schäfer, - shepherd
der Hirt(e), -en herdsman
der **Tod, -e** death
Tod und Teufel! confound it!
weder Tod noch Teufel fürchten be afraid of nothing, fear neither hell nor high water
die Todesstrafe, -n death penalty, capital punishment
todmüde dead-tired
todtraurig utterly depressed
der **Tor, -en** fool
das Tor, -e gate
tragen (u, a; ä) carry, bear
einträchtig harmonious
einträglich profitable

ertragen (u, a; ä) bear, endure, stand
erträglich bearable, endurable
ertragreich productive
das Getreide grain
vertragen (u, a; ä) endure, stand, take; (*refl. acc.*) get along, be compatible
vertraglich contractual, by contract
verträglich agreeable, digestible (*food*)
zuträglich beneficial
die **Träne, -n** tear
tränenerstickt choked with tears
tränken give to drink, water (*animals*)
trinken (a, u) drink
trauen (*dat.*) trust; (*refl. acc.*) dare
das **Trauerspiel, -e** tragedy
traurig sad
todtraurig utterly depressed
treffen (a, o; i) meet
Vorbereitungen treffen make preparations
treffend suitable, right
trennen separate
trennbar separable
die Trennung, -en division, separation
untrennbar inseparable (*verbs, prefixes*)
unzertrennlich inseparable (*fig.*)
die **Treppe, -n** stairs, staircase
treten (a, e; i) step
treu true, faithful
treulos faithless, unfaithful; (*syn.*) **untreu**
trillern trill, twitter, warble
trinken (a, u) drink
trinken (saufen) wie ein Schwamm (*coll.*) drink like a fish
ertrinken (a, u) drown
der **Tritt, -e** step
der Fehltritt, -e stumble, error
der **Tropfen, -** drop
die **Tschechoslovakei** Czechoslovakia
der Slowake, -n Slovak
der Tscheche, -n Czech
die **Tür, -en** door
Tür und Tor öffnen open the door wide
die **Türkei** Turkey
der Türke, -n Turk

U

überanstrengen (*refl. acc.*) overwork
überdrüssig (*acc. or gen.*) sick of, weary of
überflüssig abundant, superfluous
übergehen (i, a) (*sep.*) overflow, run over; (*insep.*) skip, pass over, overlook
die Augen gingen ihm über his eyes filled with tears
überlegen (*refl. dat.*) consider, reflect on, change one's mind; (*adj.*) superior
überraschen surprise
die Überraschung, -en surprise
überreden persuade
überreichen hand over
übersetzen translate; (*sep.*) ferry across
übersteigert excessive
übertragen (u, a; ä) transfer (*adj.*) transferred, figurative
übertreten (a, e; i) (*sep.*) go over, step over; (*insep.*) violate
übervorteilen make profit by, cheat, take advantage of
überzeugen convince
umändern transform, change
umbiegen (o, o) bend, turn around
umfahren (u, a; ä) (*sep.*) run over, run down; (*insep.*) drive around, trace
die **Umgangssprache, -n** colloquial language, informal speech
die **Umgebung, -en** surroundings, environment

umgehen (i, a) (*sep.*) go around, circulate; (*insep.*) elude, evade, bypass
die **Umkehrung, -en** inversion, conversion, negation
umkleiden (*refl. acc.*) change clothes
umkommen (a, o) die, perish
umschreiben (ie, ie) (*sep.*) rewrite; (*insep.*) paraphrase
die **Umschreibung, -en** paraphrase
um so mehr so much the more, all the more
der **Umzug, ⸗e** change of dwelling, moving; procession
unabsehbar incalculable, unforeseeable
unachtsam negligent
die **Unart, -en** bad conduct, bad manners
unbarmherzig merciless
unbegreiflich inconceivable, incomprehensible
unbegrenzt boundless
unberühmt obscure
unbesorgt unconcerned, care-free
unbestimmt indefinite
unbestraft unpunished
unbewaffnet unarmed
unbewölkt cloudless
unbewußt unaware, subconscious
unbrauchbar useless
unentbehrlich indispensable
unerfahren inexperienced
unersetzbar irreplaceable, irrecoverable
der **Unfall, ⸗e** accident, misfortune
der **Unfallbericht, -e** accident report
Ungarn Hungary
der **Ungar, -n** Hungarian
ungebildet uneducated
ungebräuchlich unusual
ungeduldig impatient
ungeeignet unsuitable, unfit
ungefährlich safe
ungelöst unsolved
ungestraft unpunished
ungezählt uncounted
ungläubig incredulous, unbelieving
unglaublich unbelievable, incredible
das **Unglück, -e** misfortune, mishap
unglücklich unfortunate
der **Unglücksrabe, -n** bird of ill omen, unlucky fellow
unnütz useless
unregelmäßig irregular
unrettbar hopeless, past help
unrühmlich inglorious
die **Unschuld** innocence
unschuldig innocent
unsichtig hazy, misty
der **Unsinn** nonsense, folly
unsinnig foolish
unstrafbar unpunishable, blameless
die **Untat, -en** crime, outrage
untenstehend given below, standing below, listed below
unterhalten (ie, a; ä) (*sep.*) hold under; (*refl. acc., insep.*) converse, enjoy something
der **Unterhalt, -e** maintenance, support
die **Unterhaltung, -en** entertainment
unternehmen (a, o; i) undertake
unterrichten instruct, teach
der **Lehrer, -** teacher
unterschätzen undervalue, underestimate
der **Unterschied, -e** difference
unterscheiden (ie, ie) distinguish, differentiate
unterstützen support, sustain
untersuchen examine
die **Untersuchung, -en** examination
unterwegs on the way
untrennbar inseparable (*verbs, prefixes*)

untreu faithless, disloyal, unfaithful
unübersehbar immense
unübersichtlich dangerous
unverkaufbar unsalable
 unverkäuflich not for sale
unvermeidlich inevitable, unavoidable
unverschämt shameless, impudent
der **Unverstand** lack of judgment or understanding
unvollständig incomplete
unzählbar, unzählig countless
unzertrennlich inseparable (*fig.*)
unzusammenhängend disconnected, incoherent
unzweifelhaft doubtless
die **Urenkel** (*pl.*) great-grandchildren
die **Urgroßeltern** (*pl.*) great-grandparents
 die Urgroßmutter, ⸗ great-grandmother
 der Urgroßvater, ⸗ great-grandfather
der **Urlaub, -e** furlough, leave of absence, vacation
das **Urteil, -e** judgment, decision
 ein Urteil fällen pass sentence
 der Richter, - judge
usw. (**und so weiter**) and so forth, etc.

V

das **Veilchen, -** violet
 veilchenblau violet
verachten despise, disdain
 die Verachtung (**für**) contempt, disdain
verändern change, transform; (*refl. acc.*) change in appearance *or* manner
veranlassen cause, effect, bring about
veranstalten arrange, prepare
verantwortlich responsible
 die Verantwortung, -en responsibility
verarbeiten make, manufacture, work with
die **Verbannung** exile
verbeugen (*refl. acc.*) bow
verbieten (**o, o**) forbid
 das Verbot, -e prohibition, edict
verbinden (**a, u**) bind, unite, pledge, oblige, connect
 jmdm. zu Dank verbunden sein be obligated to somebody
 die Verbindung, -en connection, conjunction; fraternity
verbleiben (**ie, ie**) remain
verbrauchen consume, spend, exhaust, waste
das **Verbrechen, -** crime
 ein Verbrechen begehen commit a crime
 eines Verbrechens schuldig sein be guilty of a crime
 der Verbrecher, - criminal
verbreiten spread, get around
verbreitern widen, broaden
verbringen (**a, a**) spend, pass (*time*)
der **Verdacht, -e** suspicion
 verdächtig suspicious
 die Verdächtigung, -en insinuation, suspicion
verdeutschen render into German
verdienen earn, merit
verdrängen displace, suppress
vereinbaren agree
vereinigen unite, unify
 die Vereinigung, -en unification
verführen mislead, seduce
die **Vergangenheit, -en** past
vergeben (**a, e; i**) (*dat.*) forgive, give away, bestow
vergelten (**a, o**) pay back, reward
 vergelt's Gott! (*coll.*) God bless you!
vergiften poison
der **Vergleich, -e** comparison
 vergleichen (**i, i**) compare

das **Vergnügen (an)** pleasure (in)
die Vergnügungsreise, -n pleasure trip
verhaften arrest
das **Verhältnis, -se** relation, proportion, circumstance
das Mißverhältnis, -se disproportion
verhaßt hated, hateful
verheiraten marry off, wed, perform a marriage
sich mit jmdm. verheiraten marry somebody
verheiratet married
verhindern prevent
verhören interrogate, interview (*refl. acc.*) hear wrongly, misunderstand
verhungern die of hunger, starve
verirren (*refl. acc.*) go astray, lose one's way
der **Verkauf, ⁻̈e** sale, selling
verkaufen sell
der Verkäufer, - seller, merchant, salesman
unverkaufbar unsalable
unverkäuflich not for sale
der **Verkehr, -e** traffic, commerce
dem Verkehr übergeben open to traffic
verkennen (a, a) misjudge
verkleiden dress up, disguise
verkürzen lessen, diminish, while away (*time*)
verlangen demand, require
das Verlangen (nach) demand, desire
verlassen (ie, a; ä) leave (*people or places*), abandon; (*refl. acc.*) **(auf)** rely, depend (upon)
verlaufen (ie, au; äu) (*refl. acc.*) lose one's way
verlegen (*adj.*) embarrassed, disconcerted
die Verlegenheit, -en embarrassment
in Verlegenheit bringen embarrass
verleihen (ie, ie) grant, bestow, lend *or* hire out
verlieben (*refl. acc.*) **(in)** fall in love (with)
in jmdn. verliebt in love with somebody
verloben (*refl. acc.*) become engaged
mit jmdm. verlobt engaged to somebody
der Verlobte, -n fiancé
vermeiden (ie, ie) avoid, shun
der **Vermerk, -e** observation, remark, note, notation
vermieten offer for rent, rent out
vernehmen (a, o; i) hear, perceive; interrogate
verneinen deny
die Verneinung, -en negation, denial
verraten (ie, a; ä) betray
versagen fail to function
jmdm. etwas versagen deny, forbid, refuse somebody something
versalzen salt excessively, spoil with salt
verschärfen render more severe, sharpen
verschieden different, various
verschlafen (ie, a; ä) sleep through (*something*), miss by sleeping; (*refl. acc.*) oversleep
verschlagen cunning, crafty, sly
verschlucken swallow; (*refl. acc.*) swallow the wrong way
verschreiben (ie, ie) prescribe; (*refl. acc.*) make an error in writing
verschulden commit, be guilty of a crime
verschuldet in debt
verschwenden waste, squander

verschwinden (a, u) disappear
versetzen answer, reply; transfer
versichern assure, insure, assert
  die **Versicherung, -en** assurance, insurance
  die **Versicherungsgesellschaft, -en** insurance company
versingen (a, u) (*refl. acc.*) sing out of tune, sing a wrong note
versprechen (a, o; i) promise; (*refl. acc.*) make a slip of the tongue
der **Verstand** understanding, intellect, judgment
  verständig intelligent, wise
  verständlich comprehensible, intelligible
  das Verständnis, -se (für) comprehension, understanding
  verstehen (a, a) understand
verstärken intensify, strengthen
  die Verstärkung, -en intensification
verstaubt covered with dust
verstecken hide, conceal
verteidigen defend
  der Verteidiger, - defense attorney, defender
  das Verteidigungsministeri(um), -(en) ministry of defense
verteilen allot, distribute
vertiefen deepen
(*refl. acc.*) **(in** *with acc.***)** become engrossed (in)
der **Vertrag, ⸚e** agreement, contract, treaty
  einen Vertrag (ab)schließen make a treaty, draw up a contract
  vertragen (u, a; ä) endure, stand; (*refl. acc.*) be compatible, get along
  vertraglich contractual
  verträglich agreeable, digestible (*food*)
vertrauen (*dat.*) confide, entrust, trust
vertreten (a, e; i) represent
verurteilen sentence
vervollständigen complete
verwandeln change, transform, alter
der **Verwandte, -n** relative
verwechseln change, exchange, confuse
verwenden (a, a *or reg.***)** use, employ
verwickeln entangle, implicate
verwirren disconcert, confuse
verwunderlich amazing, astonishing
  verwundern amaze, confuse, astonish
verwünschen curse, cast a spell
verzehren consume, eat up
verzeihen (ie, ie) (*dat.*) forgive, pardon, excuse
verzichten (auf *with acc.***)** renounce, give up, do without
verzweifeln despair
  die Verzweiflung despair
  verzweifelt desperate
der **Vetter, -n** male cousin
das **Vieh** cattle, livestock
die **Vielseitigkeit, -en** versatility
vierzehntägig lasting two weeks
der **Vogel, ⸚** bird
  den Vogel abschießen carry off the prize, hit the mark
  einen Vogel haben (*coll.*) be crazy
  vogelfrei outlawed
  der Galgenvogel, ⸚ jailbird
  der Pechvogel, ⸚ unlucky person
  der Spaßvogel, ⸚ wag, buffoon
  ein Spatz in der Hand ist besser als eine Taube auf dem Dach a bird in hand is worth two in the bush
voll full, filled, complete
füllen fill
volladen (u, a; ä) load fully, fill up
vollenden finish, complete
  die Vollendung, -en completion
vollschreiben (ie, ie) fill up with writing

vorbereiten prepare
die Vorbereitung, -en preparation
Vorbereitungen treffen make preparations
vorbeugen prevent; (*refl. acc.*) bend forward
voreilig hasty, rash, premature
der **Vorfahre, -n** ancestor; (*syn.*) **Ahne, -n**
der **Vorgesetzte, -n** chief, superior
vorhergehend, vorig preceding, previous
vorkommen (a, o) surpass; (*imp.*) seem, occur, happen
vorlaut insolent, saucy
die **Vorlesung, -en** lecture, course
eine Vorlesung belegen register for a course
eine Vorlesung halten (give a) lecture
die **Vorliebe, -n (für)** preference
vorliegen (a, e) lie before, be, exist
der **Vorrat, ⁼e** supply, provision
der **Vorschlag, ⁼e** suggestion
vorschlagen (u, a; ä) suggest, propose
die **Vorschrift, -en** regulation, instruction
sich an die Vorschrift halten adhere to regulations
vorschriftsmäßig according to instructions
die **Vorsicht, -en** foresight, prudence, caution
vorsichtig careful, cautious
die Vorsichtsmaßnahme, -n (treffen) (take) precautionary measure
die **Vorsilbe, -n** prefix
der **Vorsitzende, -n** president, chairman
vorstellen introduce; (*refl. dat. with acc.*) imagine, think
die Vorstellung, -en performance
der **Vortrag, ⁼e** lecture
einen Vortrag (ab)halten, lesen give, read, (present) a lecture
vorübergehend temporary, transitory
vorwärts forward
die **Vorwegnahme, -n** anticipation
vorwegnehmen (a, o; i) anticipate
vorziehen (o, o) prefer

W

wachen be awake
wecken awake, wake (*somebody*)
aufwachen awaken, wake up
aufwecken wake (*somebody*) up
die **Waffe, -n** weapon
waffenlos unarmed; (*syn.*) **unbewaffnet**
die **Wahl, -en** choice, election
wählen elect, choose
die **Wahrheit, -en** truth
wandern wander, hike
die Wanderschaft, -en travelling, journeyman's wandering
auf die Wanderschaft gehen go wandering (*as a journeyman*)
die Wanderung, -en tour, trip, excursion, hike
die **Ware, -n** ware, article, merchandise, commodity
der Kaufmann, -leute merchant
der Verkäufer, - salesman
der **Wartesaal, -säle (das Wartezimmer, -)** waiting room
das **Wasser** water
der Wasserfall, ⁼e waterfall
reden wie ein Wasserfall talk incessantly
die Wasserratte, -n person fond of water *or* of swimming
der **Weber, -** weaver, spinner
wechseln change, exchange, make change, give change
wecken awake, wake (*somebody*)
wachen be awake

aufwachen wake up, awaken
jmdn. aufwecken wake somebody up
weglegen lay aside
weh tun (*dat.*) hurt
das **Weib, -er** woman, female
weibisch effeminate
weiblich feminine, womanly
weichgekocht soft-boiled
die **Weihnachten** Christmas
zu Weihnachten for Christmas, at Christmas
der **Wein, -e** wine
weinrot wine red, maroon
weinen cry
vor Angst with fear
der **Weise, -n** wise man, philosopher
die Weise, -n manner, way, method; melody
weiß white
ein weißer Rabe an exception, something very unusual, one in a million
eine weiße Weste haben have clean hands, be blameless
das Weißbier light ale
kreideweiß chalk white
schneeweiß snow white
die **Welle, -n** wave
die **Welt, -en** world
weltlich secular, worldly
der Weltruf, -e world-wide fame
wenden (a, a *or reg.*) turn
winden (a, u) wind, twist
verwenden use
werden (u, o; i) become
was soll aus mir werden? what's to become of me?
ward (*arch.*) became
das **Werkzeug, -e** tool
wert worth
der Mühe wert sein be worth the trouble, the effort
wieviel ist es dir wert? what's it worth to you?
wertlos worthless
die **Wette, -n** wager, bet
eine Wette eingehen make a bet
wetten bet, wager
mit jmdm. wetten bet against somebody
um etwas wetten bet *or* wager something
der Wettbewerb, -e competition, contest
das **Wetter** weather
wetterfest weatherproof
das Gewitter, - thunderstorm
widerlegen refute, disprove
widersinnig absurd
widersprechen (a, o; i) (*dat.*) contradict, oppose
der Widerspruch, ⸚e contradiction
widerstehen (a, a) (*dat.*) resist
der **Widerwille(n) (gegen)** disgust, repugnance
wiederholen (*sep.*) bring back, retrieve; (*insep.*) repeat
die Wiederholung, -en repetition
die **Wiege, -n** cradle
wiegen rock (*a cradle*), cradle
wiegen (o, o) weigh
das Gewicht, -er weight
wiehern neigh, whinny
das Pferd, -e horse
Wien Vienna
der Wiener, - Viennese
das **Wiesel, -** weasel
laufen wie ein Wiesel run like a rabbit
willkommen welcome
winken (*dat.*) signal, wave
wirklich real, genuine
die Wirklichkeit, -en reality
der **Wirt, -e** host, innkeeper

die **Wirtin, -nen** hostess, innkeeper's wife
das **Wirtshaus, ⁼er** inn, tavern, restaurant
wissen (u, u; ei) know
das Gewissen, - conscience
die Wissenschaft, -en science
der Wissenschaftler, - scientist
der Biologe, -n biologist
der Chemiker, - chemist
der Physiker, - physicist
der **Witz, -e** joke
der Witzbold, -e witty fellow, joker, prankster
wohnen live, dwell
die Wohnung, -en dwelling, apartment
die **Gewohnheit** habit, custom
gewöhnlich usual
die **Wolke, -n** cloud
der Wolkenbruch, ⁼e cloudburst
wolkenlos cloudless; (*syn.*) **unbewölkt**
die **Wolljacke, -n** wool jacket
stricken knit
womöglich where possible, if possible
das **Wort, -e** *or* **⁼er** word
wörtlich literal
wortlos wordless
der Wortschatz, ⁼e vocabulary
die Wortschatzübung, -en vocabulary exercise
das **Wunder, -** wonder, miracle
wunderbar wonderful
wunderlich odd, strange
wundern (*refl. acc.*) (**über** *with acc.*) be surprised (at)
verwunderlich astonishing
verwundert surprised, astonished
der **Wunsch, ⁼e** wish, desire
wünschen wish
sich etwas wünschen wish for something
verwünschen curse, cast a spell
würdigen deign, value
jmdn. keines Blickes würdigen not deign to look at somebody, give someone the cold shoulder
der **Wurm, ⁼er** worm
jmdm. die Würmer aus der Nase ziehen (*coll.*) draw secrets out of somebody
es wurmt mich it bothers, annoys me
die **Wurst, ⁼e** sausage
die **Wut (auf)** rage, fury, anger (against)
wütend furious

Z

die **Zahl, -en** number
zahllos innumerable, numberless
ungezählt uncounted
unzählbar, unzählig countless
der **Zauberer, -** magician
das Zauberkunststück, -e magic (trick)
die **Zehe, -n** toe
auf den Zehenspitzen on tiptoe
zeigen show
(auf) point (to)
der Zeigefinger, - index finger
ein Kunststück zeigen perform a trick
die **Zeile, -n** line (*of text*)
die **Zeit, -en** time
die Zeitangabe, -n statement of time, expression of time
die Zeitdauer duration of time, period of time
der Zeitpunkt, -e moment
die Zeitschrift, -en magazine, journal, periodical
die Zeitung, -en newspaper
der Zeitungsstand, ⁼e newsstand
der **Zentner, -** hundredweight, ton
zerlumpt in rags, ragged

zerstreut absent-minded
der **Zettel, -** scrap (slip) of paper
der **Zeuge, -n** witness
die **Ziege, -n** goat
  meckern bleat
ziehen (o, o) pull, draw; move
  einen Graben ziehen dig a ditch
das **Ziel, -e** goal, aim, objective
der **Zieraffe, -n** affected person, fop
zirpen chirp
  die Grille, -n cricket
zischen hiss
  die Schlange, -n serpent, snake
die **Zitrone, -n** lemon
  zitronengelb lemon yellow
zittern tremble, shake
  zittern wie Espenlaub shake like a leaf
der **Zoll, -** inch
  der Zoll, ⸚e toll, tariff, import duty, customs
der **Zorn (auf)** anger, rage (at)
  zornig angry
zubereiten prepare (*food*)
zucken flash, jerk, twitch
zufrieden satisfied, content
  zufrieden geben (*refl. acc.*) **(mit)** acquiesce (in), be satisfied (with)
der **Zug, ⸚e** train, procession; move; feature, characteristic
  den Zug erreichen catch the train
  den Zug versäumen miss the train
zugeben (a, e; i) admit, concede
zugrunde legen put as a foundation, give as basis *or* reason
das **Zündholz, ⸚er** match; (*syn.*) **das Streichholz, ⸚er**
die **Zunge, -n** tongue
  eine belegte Zunge a coated tongue
zurückkehren return
zurücklassen (ie, a; ä) leave behind
zurückweisen (ie, ie) refuse, reject
zusammenfassen recapitulate, summarize
der **Zusammenhang, ⸚e** connection
  zusammenhanglos incoherent, disconnected; (*syn.*) **unzusammenhängend**
das **Zusammensein** being together, reunion, togetherness
die **Zusammensetzung, -en** compound, compound word
  zusammengesetzt compound
zusammenstellen put together, compile, make up, draw up
  ein Programm zusammenstellen draw up a program
zuständig competent, authoritative, appropriate, responsible, qualified
zuträglich beneficial
zutreffen (a, o; i) come true, prove right
zuwider (*prep.*) contrary to, against; (*adj.*) odious, offensive
der **Zweifel, - (an)** doubt
  zweifellos doubtless; (*syn.*) **unzweifelhaft**
  zweifeln (an) doubt
  verzweifeln despair
das **Zwiegespräch, -e** dialogue
das **Zwillingspaar, -e** twins
die **Zwischensilbe, -n** medial syllable, infix
zwitschern chirp
  der Vogel, ⸚ bird

Index

Ablaut: 84.
Absolute accusative: 42 (B).
Absolute comparative of adjectives: 6 (A).
Absolute superlative of adjectives: 6 (A).
Accusative: 87; absolute construction 42 (B); double accusative objects 34 (C); objects of prepositions 47, 51; with verbs of motion designating destination 7 (B).
Adjectives: 79; absolute comparative of 6 (A); absolute superlative of 6 (A); compound 18 (1, 2, 3); derivation of nouns from 39, 58; derivation of verbs from 66, 70 (B); derived from nouns and verbs 61; governing dative 38 (C); governing genitive 23 (E); participles as 42 (C); negative prefixes and suffixes 18 (3), 39 (A 1, 2); suffixes **-bar, -haft, -ig, -isch, -lich, -sam** 43; colors 9.
Adverbs: expressions of time and place 5 (D).
Agent in passive construction: 33 (A).
Alliterative pairs: 14 (B).
als: followed by predicate nominative 41 (A); use in comparative 13 (D).
an: idiomatic uses 47 (1).
anstatt: introducing infinitive phrase 37 (A).
Anticipating da- construction: 7 (C).
Article: 79; with professions, nationality, religion 2 (B).
Attributive participial phrase: 42 (C).
auf: idiomatic uses 48 (2).
aus: idiomatic uses 48 (3).
-bar: as a suffix 43.
be-: as a prefix 13 (C).
bei: idiomatic uses 22 (C), 48 (4).
Case: use of 87 (VII).
Causative verbs: derived from nouns 70 (A); adjectives 70 (B); other verbs 70 (C); conjugation of 70 (C 3).
Collective prefix: 29 (B).
Colors: 9.
Comparative: 80; absolute comparative 6 (A); use of comparative 13 (D).
Complement: verbal complements 22 (D).
Compounds: adjectives 18 (1, 2, 3) 39 (A 1, 2); nouns 16 (A), 17 (D), 39 (A, B).
Conditional mood: replacing subjunctive 30 (D); without **wenn** or **ob** 8 (D).
Conjunctions: 86 (B); dependent clause without subordinating 8 (D); **sobald, soviel,** etc. 13 (D).
da-: & preposition in anticipation of dependent clause or infinitive 7 (C).
Dative: 87 (C); adjectives with 38 (C); impersonal verbs with 34 (B); objects of prepositions 47, 48, 51; verbs with 7 (B), 38 (C).
Demonstrative pronouns: 2 (D), 81 (D); shortened form 17 (E).
Dependent clause: anticipation of through **da-** & preposition 7 (C); position of verb in 8 (D), 86 (C); replaced by prepositional phrase 51 (2).
Derivatives: adjectives from verbs and nouns 61; adjective suffixes 43; negative adjectives prefixes and suffixes

18 (3), 39 (A 1, 2); noun derivatives 57; noun prefix **Ge-** 29 (B); negative noun prefixes 39 (A); noun suffixes 39 (B); verbs derived from nouns and adjectives 66, 70 (A, B); causative verbs 69; separable or inseparable prefixes 20 (A), 21 (B); prefix **be-** 13 (C); **ent-** 34 (D); **er-** 3 (F); **ver-** 25 (A).

Direct discourse: 27 (C, 2).

Direct object: double accusative 34 (C); of impersonal verbs 34 (B).

Directional indicators: her, hin 8 (E).

Double accusative: 34 (C).

Double compounds: 18 (2).

durch: in passive voice 33 (A).

ent-: as a prefix 34 (D).

er-: as a prefix 3 (F).

Expletives: use of 17 (C).

Figures of speech: from animal world 53; parts of the body 72, 75; similes 35; colors 9.

für: idiomatic uses 48 (5).

Ge-: as a prefix 29 (B).

Genitive: 87; adjectives with 23 (E); in formation of compound words 16; verbs with 38 (D).

-heit: as a suffix 39 (B).

hin und her: use of 8 (E).

Homonyms: 27.

-ig: as a suffix 43.

-igkeit: as a suffix 39 (B).

Imperative: 85 (B).

Impersonal verbs: 34 (B).

in: idiomatic uses 48 (6).

indem: use of 9 (F).

Indirect discourse: 27 (C).

Infinitive: anticipation of through **da** & preposition 7 (C); phrases 37 (A); **sein** & infinitive to replace passive construction 37 (B); with or without **zu** 11 (A), 37 (A); double 11 (A).

Inseparable prefixes: 20 (A); **be-** 13 (C); **ent-** 24 (C); **er-** 3 (F); **ver-** 25 (A).

Intensification: through comparison 35; through prefixes 18 (1, 2), 25 (A).

Intransitive verbs & prefixes to form transitive verbs 13 (C); with dative objects 7 (B), 34 (B), 38 (C); causative verbs derived from intransitive verbs 70 (C).

-isch: as a suffix 43.

-keit: as a suffix 39 (B).

lassen: use of 26 (B).

legen: use of 7 (B).

-lich: as a suffix 43.

-los: as a suffix 18 (3).

machen: synonyms for **31.**

mehr: use of 13 (D).

Metaphor: *see* Figures of Speech.

mit: idiomatic uses 51 (7).

Modals: with infinitives 11 (A).

nach: idiomatic uses of 51 (8).

Nationality: 4 (B); use of article 2 (B).

Nominative: 87; predicate nominative after **als** or **wie** and after certain verbs 41 (A).

Nouns: 82; collective 29 (B); derivation of adjectives from 61; derivation of verbs from 65, 70 (A); derived from verbs, adjectives and other nouns 39 (B), 58; negative prefixes 39 (A); suffixes **-heit, -keit, -igkeit** 39 (B); participles as 3 (E); homonyms 27; plural forms of units of measure 30 (C); with prefix **Ge-** 29 (B); family members 4 (A); nationality 4 (B); professions 4 (C); parts of the body 72, 75; animals 53 (1), 54 (2, 3); participle used as noun 3 (E).

Object: see Direct object; Accusative; Dative; Genitive.

ohne: introducing infinitive phrase 37 (A).

Participle: 84; as a noun 3 (E); as an adjective 42 (C).
Particles: use of 17 (C).
Passive: 85; construction, agent and means 33 (A); replaced by **sein** & infinitive 37 (B); with **sein** 2 (A, C); with **werden** 2 (A, C); replaced by **sich lassen** 26 (B).
Past tense: 84; as historical, literary, or narrative form 2 (A), 16 (B).
Plural forms: 82; of homonyms 27; of units of measure 30 (C).
Position: of elements in infinitive phrase 37 (A); postposition 29 (A); of verb in dependent clause 8 (D), 86 (C); of verbal complements used like separable prefixes 21 (B).
Postposition: 29 (A).
Predicate: nominative after **als** or **wie** and after certain verbs 41 (A); with **zu** 22 (D).
Prefixes: adjective, negating 18 (3), 39 (A 1, 2); noun, **Ge-** 29 (B), negating 39 (A); verb **be-** 13 (C), **ent-** 34 (C), **er-** 3 (F), **ver-** 25 (A); separable or inseparable 20 (A).
Prepositions: & **da-** in anticipation of dependent clause or infinitive 7 (C); idiomatic use after nouns 45 (5); idiomatic use after verbs 47, 50; idiomatic use before nouns 48 (2); in phrase replacing dependent clause 51 (2); in postposition 29 (A); in time expressions 44 (1, 2); of manner 45 (4); of place 44 (3); taking accusative and/or dative objects 47, 51, 87 (B, C); taking genitive objects 87 (D); with intransitive verbs replacing transitive verbs 3 (F), 13 (C); *see also* specific prepositions such as **bei, mit,** etc.
Present perfect: 85; use of 16 (B).
Professions: 4 (C); use of article 2 (B).
Pronouns: demonstrative 2 (D), 17 (E), 81 (D); reflexive 12 (B), 80 (III A); personal 80 (III A); relative 81 (B); interrogative 81 (C); possessive 81 (D).
Reflexive verbs: 12 (B).
Relative clause: replaced by attributive participal phrase 42 (C).
Rhyme pairs: 14 (A).
sagen: use of and synonyms for 23.
-sam: as a suffix 43.
sein: with dependent infinitive 37 (B); with passive 2 (A, C).
Separable prefixes: 20 (A).
setzen: use of 7 (B).
Similes: 35.
statt: *see* anstatt.
stellen: use of 7 (B).
strong verbs: 84.
Subjunctive: 85 (D); in indirect discourse 27 (C); in unreal conditions 30 (D); replaced by conditional 30 (D).
Subordinating conjunctions: dependent clause without 8 (D).
Substantive: *see* Nouns.
Suffixes: negating (3); **-heit, -keit, -igkeit** 39 (B); **-bar, -ig, -isch, -lich, -sam** 43.
Superlative: absolute use 6 (A).
Time expressions: time and place 5 (D); prepositions denoting time 44 (1, 2).
Transitive verbs: derived from intransitive verbs 13 (C).
über: idiomatic use 51 (9).
um: introducing infinitive phrase 37 (A); idiomatic use 51 (10).
un-: as adjective prefix 18 (3); as noun prefix 39 (A).
Units of measure: use in plural 30 (C).
Unreal conditions: 30 (D).
ver-: as a prefix 25 (A).

Verbal complements: used like separable prefixes 21 (B).

Verbs: 84; derivation of adjectives from 61; derivation of causative verbs from intransitive 70 (C); derivation of nouns from 57; derived from adjectives and nouns 66, 70 (A, B); position of in dependent clause 8 (D), 86 (C); taking dative object 7 (B), 34 (B), 38 (C); taking double accusative objects 34 (C); taking genitive object 38 (D); with prepositions taking accusative and/or dative objects 47, 51; impersonal 34 (B); reflexive 12 (B); prefixes **be-** 13 (C); **ent-** 34 (D); **er-** 3 (F); **ver-** 25 (A); modals 11 (A); imperative 85 (B); subjunctive 27 (C), 30 (D), 85 (D); passive 2 (A, C), 26 (B), 33 (A), 37 (B), 85 (C); infinitive 7 (C), 11 (A), 37 (A, B); strong 84; weak 84.

von: idiomatic use 51 (11); in passive voice 33 (A).

vor: idiomatic use 51 (12).

weak verbs: 84.

werden: use with passive 2 (A, C); with predicate 22 (D).

wie: followed by predicate nominative 41 (A); with positive 13 (D).

Word order: 86; infinitive phrase 37 (A); dependent clause 8 (D); verbal complements used like separable prefixes 21 (B); postpositions 29 (A).

Word pairs: 14.

zu: & infinitive 11 (A), 37 (A); with predicate 22 (D).